JEANS, A ROUPA QUE TRANSCENDE A MODA

Lu Catoira

Jeans, a roupa que transcende a Moda

IDÉIAS & LETRAS

Diretores Editoriais
Carlos da Silva
Marcelo Araújo

Editores
Avelino Grassi
Roberto Girola

Coordenação Editorial
Elizabeth dos Santos Reis

Revisão
Ana Lúcia de Castro Leite

Capa
Márcio Mathídios

Coordenação do Projeto Gráfico
Edgard Catoira

Projeto Gráfico
Guilhermina Ierecê

Fotos
"The Official History of The Levi's Brand".
Levi Strauss & Co. Publishing

Ilustrações
Antonio Pereira da Silva

IDÉIAS & LETRAS

Editora Idéias & Letras
Rua Pe. Claro Monteiro, 342 - Centro
12570-000 Aparecida-SP
Tel. (12) 3104-2000 — Fax (12) 3104-2036
Televendas: 0800 16 00 04
vendas@ideiaseletras.com.br
www.ideiaseletras.com.br

Dados Internacionais de Catalogação na Publicação (CIP)
(Câmara Brasileira do Livro, SP, Brasil)

Catoira, Lu
Jeans, a roupa que transcende a moda / Lu Catoira. - Aparecida, SP: Idéias & Letras, 2006.

Bibliografia.
ISBN 85-98239-64-X

1. Jeans (Vestimenta) - História 2. Moda - Aspectos psicológicos 3. Moda - Aspectos sociológicos 4. Moda - História I. Título.

06-1931 CDD-391.009

Índices para catálogo sistemático:

1. Jeans: Moda: História 391.009

Agradeço a meus queridos Edgard, Luisa, José Roberto, Paula, Pedro e meus netos Victor e Henrique, e a todos que, de alguma maneira, incentivaram este trabalho. A Vania Granja e Regina Moura, por me abrirem o horizonte da pesquisa. A Frei Neylor Tonin e Avelino Grassi, pelo carinho com este livro, e à Levi's, pela cessão das fotos.

Não posso esquecer os amigos que participaram da edição: Antonio Pereira da Silva, Guilhermina Ierecê, Leda Nagle e Katia Castilho.

Sumário

O JEANS

Apresentação

Moda já foi frescura, falta de assunto, coisa de gente que não se importava com a vida real e com os problemas do mundo.

Neste tempo em que vivemos, a moda influencia comportamentos, gera milhões de empregos no mundo inteiro, define tribos, faz história.

Lu Catoira é desse tempo em que a moda é assunto de todos, se presta a teses, requer estudo, conhecimento e informação. Interessa a pessoas de ambos os sexos e a pessoas dos mais diferentes estilos. Diz respeito ao belo e à vida real. Sem frescura. Com lucidez.

Jornalista, produtora, editora e consultora, Lu coordena a Faculdade de Design de Moda do Senai-Cetiqt, no Rio de Janeiro. Discreta e elegante, é apaixonada pela moda e dedicada pesquisadora do tema. Escolheu o jeans para estudar e aprofundou o assunto. Escreveu a História da Moda, a partir do jeans, e passeou, de maneira inédita, sobre um século e meio de existência.

Analisou a moda sob a ótica da sociologia e da psicologia, mostrou o significado das roupas nas diferentes fases vividas pela humanidade. Lu Catoira mostrou a evolução do jeans nas guerras, nos movimentos políticos, no comportamento da sociedade, em momentos de crise e em épocas douradas.

O resultado? Não poderia ser melhor. Este livro tem conteúdo como fonte de pesquisa para estudantes de diferentes áreas. É leitura agradável para quem quer compreender o universo da moda. É antenado com questões contemporâneas e, com certeza, derruba a velha tese de que o mundo da moda é um universo de futilidades.

Leda Nagle - jornalista

Prefácio

As vestimentas são um fenômeno social. Tanto que as formas mais expressivas da moda buscam por interpretações sociais, localizadas no tempo, destacando a identidade como processo dinâmico em desenvolvimento permanente.

No século XX, o jeans mostra seu papel na sociedade, desencadeando um estudo mais completo das variantes sócio-político-econômicas pelas quais o mundo passou, a partir da Revolução Industrial do século XIX, e do vestir como expressão de sentimentos.

Na busca da consciência estética, e sendo um reflexo de identidade social e de individualidade, a moda reflete, nas formas, a força dos símbolos, do sagrado, dos arquétipos e do poder alquímico das cores. Isto é, o vestuário "fala". Nessa "fala", o jeans se destaca como o elemento que transcende a moda, a idade, a religião, a sociedade, a cultura, sem perder sua função original de cobrir o corpo.

A moda como um todo, e o jeans em particular, ajuda a contar a história dos grupos sociais, determinando o tempo e as circunstâncias do momento vivido. Mais que uma simples proteção, a roupa tem uma linguagem codificada e esse poder da comunicação passou do rádio para a televisão, da fotografia para o cinema, globalizando costumes e crises de todas as regiões do planeta, criando e popularizando novos mitos. Agora, a globalização está mais rápida com a Internet e seu poder de manipular on line a psicologia individual do homem, afetando até a economia mundial.

O jeans conseguiu ser o único artigo na História que se tornou, ao mesmo tempo, símbolo (da juventude), peça popular (dos trabalhadores em geral), e chegou às pessoas de sociedade, políticos, Chefes de Estado e até da realeza (como Lady Di, Princesa Caroline de Mônaco).

Versátil, o jeans sempre pode ser o uniforme de uma tribo vândala como pode fazer parte de um estilo mais descontraído, e até sofisticado, com grife, quando usado esportivamente com blazer, por um executivo ou um político. Desse modo, o processo democrático do vestir não abole as diferentes simbologias das marcas, mas reduz as desigualdades extremas.

As maneiras de vestir de um grupo têm seus códigos. Quem conhece o código é também reconhecido e passa a atuar na mesma sintonia. No mundo de hoje, em todos os segmentos e grupos das sociedades, constata-se a presença do jeans. Essa similitude é mais rapidamente notada, hoje, pela mídia: ele está vestindo jovens em países que estão em guerra, saindo às ruas para lutar ou mesmo tentar a paz; está junto aos ecologistas (em outro tipo de guerra), espalhados pelo mundo; além de ser usado pelos músicos, mitos e seus fãs. Isso sem falar nos estudantes, profissionais liberais e até nos sem-terra brasileiros.

No Brasil, em especial, adolescentes entre 15 e 19 anos têm, pelo menos, uma calça jeans em seu armário. Eles não viveram os anos da contracultura, de ditadura, e não tiveram a necessidade de se introduzir em tribos por um ideal social. O momento é de exercitar os músculos, saber dançar mexendo muito o corpo, pensar em ecologia, ter um celular, trocar e-mails, para uma integração maior, e sentir-se livre.

O consumo é estressante, a independência é falsa, a lobotomia televisiva uma tortura, e a juventude de hoje valoriza o guerreiro, tem fascínio pelas armas, pelos lutadores de jiu-jítsu, pelas galeras dos bailes funk. O rico e o pobre vestem jeans, o produto com o mesmo código estético, mas com preços diferenciados.

As referências das antigas gerações eram os jovens e movimentos de outros países. Hoje é o jovem americano que eles mimetizam – uma realidade fast-food, com valores que fazem com que essa geração corra o risco de retroagir nas conquistas das outras gerações e caia na barbárie.

A rebeldia da geração 2000 está na adoção de diferentes estilos – muitas vezes rompendo com "modelos clássicos". E os jovens, mesmo sem uma rebeldia política, mantêm-se em seus grupos como neotribalistas, mais fluidos, recusando-se a reconhecer-se em qualquer projeto político, mas participando de ajuntamentos pontuais, condensações instantâneas com forte envolvimento emocional, que buscam outros espaços mais excitantes e, assim, continuam transgredindo regras. Enquanto os jovens de baixa renda tentam invadir outros grupos sociais, os jovens da classe média sobem os morros atrás de novas emoções e dos bailes funk.

A imagem não pode ser desvinculada da economia – estrutura industrial, comercial e do marketing – que lhe dá a base de apoio, e que gera a movimentação do consumo. O Brasil vestiu, de início, a calça importada. A marca Lee passou a ser sinônimo de jeans nos anos 60. Com a indústria nacional crescendo, as calças Rancheiras chegam às lojas de departamentos e daí surge uma verdadeira revolução de marcas que investiam seriamente em publicidade para atingir seu público: o jovem. Foi assim a USTop no final dos anos 70 ("Liberdade é uma calça velha e desbotada", dizia o jingle) e, com a mistura com Lycra, a Ínega ("Barriguinha pra dentro, bundinha pra cima"), nos anos 80. A partir de então, mais marcas foram surgindo – nacionais e licenciadas. Hoje, o Brasil fabrica e exporta o jeans para grifes estrangeiras.

Na atual sociedade pós-moderna, com a evolução da informática e os caprichos da mídia, todos buscam os símbolos coletivos para a participação da integração da vida social. É um preenchimento do espaço mítico e seus valores renovados, compartilhando a vida com artistas, modelos e gente famosa.

Mas há um paradoxo: apesar do neotribalismo, e as vantagens de uma vida em grupo, os indivíduos procuram sua individualidade, seu "eu" nos grupos aos quais pertencem simultânea e sucessivamente. Uma simples presilha diferente no cabelo pode marcar uma escolha individual. Percebe-se, na criação dos estilistas, uma íntima identificação com o desejo dos indivíduos de liberar o corpo e suas limitações. Por isso cada qual pode, hoje, ter seu estilo. Mas, neste novo século, o indivíduo não é o princípio e o fim do todo social, como acreditam os individualistas, senão a tribo, a comunidade.

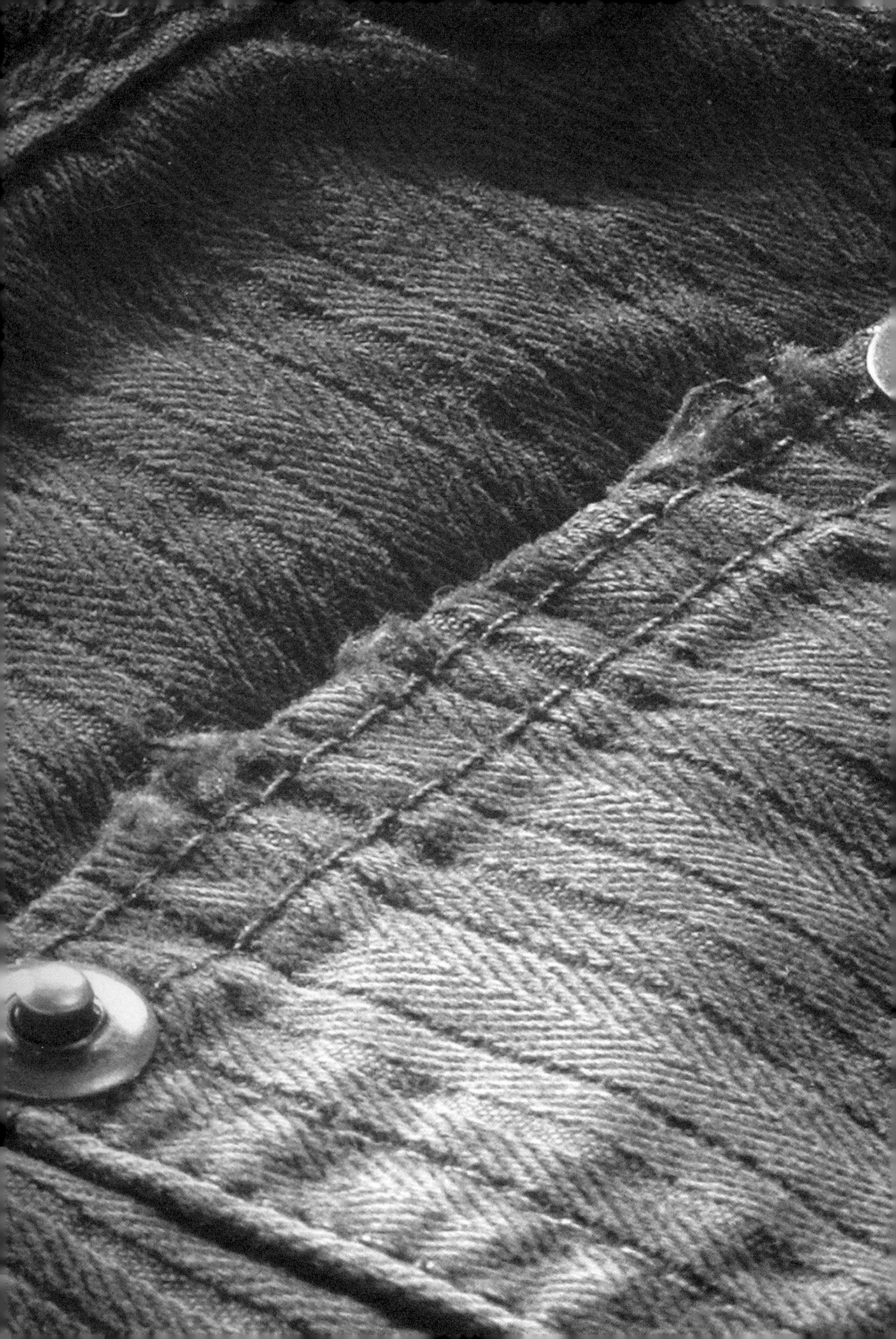

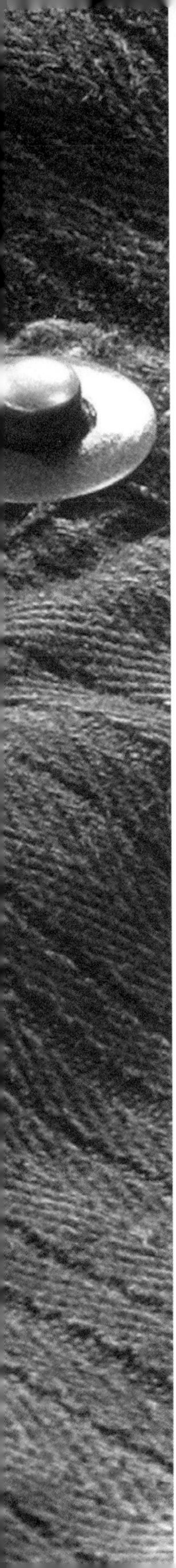

MODA

"O homem primeiro
se descobre,
surge no mundo e só depois
se define."

Jean Paul Sartre

Conceitos multiprofissionais

MODA hoje é um assunto multifacial. Deixou de ser parte do etéreo mundo fashion. Enquanto o estilista e o design estudam formas e matérias-primas, de olho nos preços do produto final, os produtores carregam bagagens, ajustam roupas nos corpos dos manequins e amarram seus sapatos.

Os resultados desse trabalho são estudados por profissionais de semiótica, sociologia, psicologia e de comportamento.

Na verdade, a moda está presente na política, em escritórios, escolas, locais de esporte, cultura e lazer. Em todos os setores da vida humana.

Como este livro trata do fenômeno Moda como um todo, nada melhor do que saber como os mais diversos setores a definem.

Moda – fenômeno atual do vestuário. Fantasia, gosto ou maneira como cada um faz as coisas. (Dicionário Melhoramentos da Língua Portuguesa)

Moda – estilo variável no tempo, resultante de gosto, idéia, capricho, vontade, fantasia. Fenômeno cultural e social, coercitivo, que consiste na mudança periódica de estilo. (Dicionário Aurélio Buarque de Holanda)

Moda – uso, hábito ou estilo geralmente aceito, variável no tempo e resultante de determinado gosto, idéia, capricho e de interferências do meio. (Terminologia do Vestuário)

Moda – maneira; costume; uso que depende do capricho; fantasia; artigos de vestuário feminino (do francês *Mode*). (Dicionário Brasileiro da Língua Portuguesa)

Moda – costume, uso que depende do capricho; fantasia, artigos de vestuário. (Dicionário Brasileiro Contemporâneo)

Em grego, a palavra moda está ligada a "cosmese", o que lhe confere uma dimensão cósmica e simbólica. (Françoise Vincent-Ricard, no livro "As Espirais da Moda")

A moda celebra visualmente o irracional, preservando as tensões em vez de procurar resoluções, e se deleita com o prazer rápido dos arranjos provisórios em vez de procurar soluções estéticas permanentes, ou qualquer coisa puramente prática e útil. (Anne Hollander, no livro "O Sexo e as Roupas")

A moda, com a renovação constante de seus produtos, tende a viver o efêmero e a perder o senso de continuidade e permanência. (Jornalista Costança Pascolato)

A moda é um fenômeno complexo, que faz funcionar as engrenagens de uma das mais antigas e poderosas indústrias da nossa civilização. Como signo, é portador de mensagens que nos falam do indivíduo que a veste e a sociedade que a produziu. (Dario Caldas, no livro "O Universo da Moda")

Moda foi bem cedo um objeto sociológico privilegiado. Imediatamente, ela constitui um fenômeno coletivo que nos traz, o mais imediatamente, a revelação de que existe o social em nossos comportamentos. (J. Stoetzel, no livro "Sistema da Moda de Roland Barthes")

A moda desmistifica e muitas vezes inverte os códigos do bom gosto e se torna um jogo, quase um novo código. (Françoise Vincent-Ricard, no livro "As Espirais da Moda")

Moda é contaminação. (Estilista Carlos Miele)

O conceito de moda, como seqüência de variações constantes, de caráter coercitivo, é empregado pelos estudiosos da sociologia, da psicologia social ou da estética, em dois sentidos: transformações nos diversos setores da atividade social, política, religião, ciência e na estética e, em segundo lugar, as mudanças periódicas nos estilos das vestimentas e detalhes de ornamentação pessoal. (Gilda de Mello e Souza, no livro "O Espírito das Roupas")

A moda sai de moda, o estilo não. (Estilista Gabrielle Chanel)

A moda sempre foi um mata-borrão de tendências e um irradiador de informações, à frente de seu tempo. (Designer de Moda, Gilda Chataignier)

A moda estrutura-se no nível de sua história, desestrutura-se no único nível que dela percebemos: a atualidade. (Semiólogo Roland Barthes)

Moda é uma boa notícia. (Jornalista Marilena Belaciano)

Moda – Pode ser frescura, pode ser supérfluo, pode ser tudo o que os inimigos dizem. Quem está no dia-a-dia nesse fenômeno que fica entre Arte e Comércio sabe a importância da hora que alguém decide trocar a camiseta branca pela preta. (Site da Associação Brasileira da Indústria Têxtil)

De acordo com esses vários conceitos, pode-se dizer que a moda é um fenômeno de massa, um comportamento que destaca o efêmero, provocando transformações.

No passado, a moda marcava a distinção social. Hoje, ela proporciona uma leitura da vida individual, social, cultural e da estética da forma. O modo de vestir é uma imagem figurativa e causa impacto. A forma em si é que é desejada e os detalhes que compõem o visual têm pouco significado fora de seu lugar.

Como na arte, percebemos a forma que nos remete a fantasias e cores, atraindo-nos ou repelindo-nos. A essa atração respondem estilos e maneiras do vestuário moderno que a moda manipula, mudando seu uso e significado, como nos movimentos antimoda, causados, por vezes, por turbulência política.

O espelho é o que dá o aval nessa narrativa. Desse modo, a moda é capaz de se transformar num conjunto de ilustrações e informações. Ela vai além do vestir. Um corpo tem uma sexualidade particular, uma maturidade, um conjunto de experiências e fantasias pessoais. Ela preenche a necessidade de ser diferente e de se sentir parte de um grupo.

Simbólica, a moda é percebida no que está na mídia, no que vestimos e no que nosso círculo social veste. As mudanças formais são ditadas a partir do interior da própria moda e só justificadas depois, pela paixão ou reflexão, como um momento histórico.

A Moda ao longo do Século XX

"A procura estética é exterior ao estilo de cada época, não ordena novas estruturas nem novas formas do traje, funciona como simples complemento decorativo, adorno periférico."

Gilles Lipovetsky

Desde o início da história da humanidade, foram inventadas muitas maneiras de cobrir o corpo, mas a moda foi uma invenção diferente, que surgiu no final da Idade Média, com a burguesia propondo um sistema novo e que se tornou obrigatório para a sociedade ocidental. A fase, que se pode considerar como o início da moda, remonta à metade do século XIV, uma época ao mesmo tempo artesanal e aristocrática, com as vestes revelando seus traços sociais e estéticos.

O século XX traz em sua bagagem o ritmo das frivolidades, o que, no livro "Mitos e Arquétipos do Homem Contemporâneo", Heloísa Cardoso define como tendo começado materialista e terminado com uma busca desesperada de renovação espiritual.

Novo século - O novo século XX inicia-se com exposições de Van Gogh, Paul Gauguin e Cézanne, em Paris. O desenvolvimento artístico torna-se intenso; surge o fauvismo com Matisse e Derain, o cubismo de Picasso com "As Senhoritas de Avignon". Estréia a ópera "Madame Butterfly" de Puccini. Santos Dumont voa com o 14-Bis. No Brasil, há o salto da energia elétrica, provocando o progresso

industrial. O Teatro Municipal e a Biblioteca são construídos, no Rio de Janeiro; Heitor Villa-Lobos compõe algumas obras e Padre Cícero proporciona o crescimento do Nordeste.
Na moda: Paris dita a moda, dominando a indústria do luxo em tecidos, adereços e ourivesaria; vestidos com cortes diretório e império; abertura de grandes magazines como Printemps, Bom Marché e Bonheur des Dames.

É importante notar que, na área de vestimentas, duas novas informações, revolucionárias na história do comportamento humano, o jeans e a alta-costura, surgiram na mesma década. Esses dois itens continuam paradoxalmente opostos.

Em 1853, nos estados Unidos, o jeans foi transformado, pelo imigrante alemão Levi Strauss, de cobertura de barracas, em tecido de calça dos trabalhadores das minas do oeste americano. Assim nascia a Levi's.

Mas no início do século, o jeans ainda era só um tecido forte usado por homens no local de trabalho rude, longe de ser considerado uma peça de vestimenta social.

Quatro anos depois, em 1857, surge, em Paris, com o estilista inglês Charles-Fréderick Worth, a Alta Costura – um laboratório de modelos assinados, feitos sob medida, que monopolizam, ainda hoje, a moda de luxo.

A moda para as mulheres passa a exibir uma diferenciação de classe social e a revelação da vaidade feminina.

O Século XX inicia-se ainda sob a influência da Revolução Industrial. O homem viril, herói, sustenta a família e usa roupas que mostram seu poder na sociedade. A mulher esconde sua sensualidade debaixo de muitas vestes, cuidando da casa e dos filhos. A roupa masculina, que era tão fantasiosa no século XIX, variando em formas e texturas, recebeu seu protesto, tornando-se fruto direto das conseqüências da Revolução Industrial. Empresários e homens do Poder, ou grandes burocratas, vestiam-se com trajes que mostravam status social: casacas, lenços de seda, cartolas, calças com tecido risca-de-giz, bengalas, e tinham, quase que invariavelmente, um charuto para complementar a indumentária sofisticada.

Em uma cultura dominada pelo homem, a mulher exibe o poder de compra do marido e sua própria incapacidade de trabalho produtivo, vestindo roupas extravagantes e desconfortáveis. Ela acompanha o chefe da família, mas começa a se libertar de sua própria impotência, vestindo, ainda, saias com bainhas pouco acima dos tornozelos, chapéus enormes e luvas longas, já deixando o incômodo espartilho de lado.

A bicicleta surgiu em 1890 inovando, sem muita aceitação, o vestuário feminino, com a saia-calça, aconselhada para o novo esporte. A peça teve forte resistência na época, mas foi a primeira vez que uma espécie de calça masculina foi sugerida para a mulher. A calça comprida aparece por volta de 1911, como uma criação audaciosa da alta-costura.

Em resumo, todos – homens e mulheres – cumpriam seus papéis corretamente, de acordo com os arquétipos – ele, macho, poderoso, viril; ela, feminina, frágil, com olhar meigo e sempre baixo, escondendo qualquer sinal de sua sexualidade, então vetada às mulheres "sérias". O máximo permitido a elas era tocar piano para amigos, nas noites de saraus.

A partir de 1890, a saia feminina foi adaptada para ser usada em bicicletas. Não chegava a ser uma calça, mas, assim mesmo, foi vista com reservas pela sociedade

As inquietudes das Guerras Mundiais

"A luta pelo ideal significa luta contra o realismo, contra o pragmatismo, contra o bom senso acomodador, contra a passividade, contra o espírito de compromisso."

Humberto Braga

Década de 10 - Em 1914 estoura a Primeira Guerra Mundial. No Brasil – criação da FAB. Olavo Bilac, Rui Barbosa, Coelho Neto, José Veríssimo defendem a participação do Brasil na guerra, enquanto Monteiro Lobato é contra. Sucesso de Carlitos (Charles Chaplin). Entra em cartaz o primeiro filme falado: "O Cantor de Jazz"; Kandinsky realiza várias obras, Braque dá início ao cubismo de colagem; surge o futurismo, o cubo-futurismo, o dadaísmo com Duchamp.

Na moda, são inauguradas a Maison Chanel (1910) e a Maison Madeleine Vionnet (1912). Essa década é marcada pela mudança nos trajes e os corpetes são abandonados. Paul Poiret e o Balé Russo contribuem para essa mudança.

A Primeira Guerra Mundial, entre 1914 a 1918, fez todos os países entrarem em crise. Tudo era racionado, difícil. A crise transparece nas roupas, tornando-as mais práticas e baratas. Vestimentas severas foram adotadas como um tipo de uniforme civil simples e foram usadas por mulheres que, para ajudar no sustento da família, assumiram o trabalho dos homens, que foram para a guerra.

Era o início da "terceira jornada" de trabalho, pois as mulheres assumiram o trabalho externo, sem deixar, é claro, de cuidar da casa e da educação dos filhos. Mas, algo começava a mudar. Ela, agora, trabalhava como o homem, tinha de lutar, conquistar, competir. E o macho teve de enfrentar, ainda que de forma simulada, o novo posicionamento da mulher no lar.

A cultura de massa da década agiu para o declínio de valores tradicionalistas, desagregando formas de comportamento do passado, e propondo novos estilos de vida, fundados na realização íntima, no consumo e no divertimento. As roupas começam a se refletir na nova situação, atingindo o ideal moderno da emancipação, porém deixando bem claro o que era roupa feminina e o que era masculina.

Depois de 1918, deu-se o início da fase do pós-guerra, trazendo, novamente, a alegria de viver.

O pós-guerra

"Inventei a moda, a roupa esporte, para mim, pela simples razão de ser a primeira mulher do século XX."
Gabrielle Chanel

A década de 20 é uma festa: dança-se o Charleston, surge o Gordo e o Magro (1921) e Mickey Mouse em 1928. A arte continua vigorosa com Cocteau, Picasso e Stravinsky, Paul Klee com sua arte primitiva; a múmia de Tutancâmon é descoberta. Hitler desponta na Alemanha e Mussolini toma o poder na Itália. Dá-se a primeira transmissão de rádio no Brasil. Charles Lindberg faz o primeiro vôo sobre o Atlântico. Surge a penicilina. Ku-Klux-Klan. Máfia. Gandhi, na Índia, prega a "não-violência". A Semana de 22, em São Paulo, apresenta o conceito modernista de artistas como Di Cavalcanti, Cândido Portinari, Tarsila do Amaral, Oswald de Andrade, Mário de Andrade, Villa-Lobos.
Na moda, as mulheres não usam mais os espartilhos; surgem as maisons de Gabrielle Chanel, Madeleine Vionnet e Elsa Schiaparelli. E, em 1928, no Rio de Janeiro é inaugurada a Casa Canadá – primeiro atelier de alta-costura no Brasil.

A juventude estava na moda. O homem, simplificando ainda mais seu modo de vestir, passou a usar discretas calças, paletós de listras e o chapéu palheta. A música torna-se alegre e convida para dançar, sob o ritmo estimulante do Charleston.

A mulher solta seu lado feminino. Começa a se libertar dos anos de dominação do homem e deixa que isso transpareça em suas roupas. As saias diminuem o comprimento, os cabelos são cortados curtinhos, *à la garçonne*, num visual andrógeno, porém brejeiros e sensuais. Muita maquiagem, com destaque para os olhos densos, e bijuterias, como colares e gargantilhas, disfarçavam os colos já visíveis nos decotes.

Totalitarismo no mundo

"O comércio fabricou a crença geral de que a cada ano devemos nos vestir de um modo diferente."

Boges Stortini

Década de 30 - Era de Hitler, o mundo passa a conhecer sua fúria. No Brasil, vive-se a era Vargas. Continua o surrealismo de Dalí e Joan Miró, iniciado no final dos anos 20; Mondrian realiza a obra "Composição em Vermelho, Azul e Amarelo". O cinema inicia a década com "O Anjo Azul", com Marlene Dietrich (1930), e encerra com "... e o Vento Levou" (1939). O Pato Donald é criado em 1934, "Branca de Neve" é lançada em 1937, por Walt Disney. Na moda, Elsa Schiaparelli é uma das primeiras estilistas a utilizar o zíper em roupas para moda e Dalí cria estampas especialmente para sua coleção. Muita diversidade de modelos, a moda dos anos 30 não se firmou num só estilo. É lançado o náilon, em 1938.

Na crise de 1929, a roupa torna-se austera, mostrando a depressão e aumentando a semelhança entre as roupas das diversas classes sociais. Por outro lado, o cinema busca mitos infanto-juvenis, como Tarzan (da selva) e Flash Gordon (do espaço). E, aos poucos, resgatando os padrões de beleza, é do cinema que surgem personagens que influenciam a moda, como Rodolfo Valentino (com seus ternos impecáveis), Fred Astaire (com seus sapatos bicolores) e Marlene Dietrich – responsável pelo lançamento da calça comprida para as mulheres, confirmando o lado forte da personalidade feminina, com sofisticação, poder e erotismo. Nas telas de cinema, a sedução dos vestidos colados ao corpo com decotes revelam, pela primeira vez, a forma das nádegas. E surgem as divas como Greta Garbo, Marlene Dietrich, Vivien Leigh, Rita Hayworth, e a moda dos cabelos longos e frisados.

As mulheres terminam a década fumando.

No final da década de 30, as grandes atrizes de cinema lançavam moda. Marlene Dietrich surpreendeu, usando calças compridas

Divas e heróis

"Seduzir é morrer como realidade e se produzir como artifício."
Jean Brandillard

Década de 40 - A Segunda Guerra Mundial (1939-1945) termina com os bombardeios de Nagasaki e Hiroshima. Na arte, surge o expressionismo abstrato com Gorky e Pollock. Tom e Jerry são lançados em 1940, e, em 1943, o clássico "Casablanca". Época de divas no cinema. Carmem Miranda. EUA desenvolvem sua própria moda durante a Guerra.
Na moda, os homens usam estilo zoot, com ombros largos e paletó até os joelhos, calças folgadas e cores fortes. O brim passa a ser usado em praticamente todos os tipos de roupas. Em 1947 é lançado o acrílico em substituição à lã. O poliéster passa a ser produzido em 1941. O lurex é lançado, surge o traje de banho composto por duas peças, o biquíni (1946). Em 1945, Balenciaga, Balmain, Dior, Givenchy procuram restabelecer a moda em Paris, numa exposição no Museé Des Arts Décoratifs.

Com a Segunda Guerra Mundial (1939 a 1945), uma nova depressão social abala a humanidade. As roupas femininas assumem uma função mais utilitária – um tipo uniforme para o trabalho, com sapatos baixos e fechados. Nos conjuntos, prevalecia o corte inspirado nos ternos masculinos.

No cinema, as divas são Lauren Bacall, Ingrid Bergman, Joan Crawford, Bette Davis, e os heróis são os cowboys americanos, que vestiam as calças do campo, incorporando os jeans e retratando a vestimenta do far west.

A partir dos anos 40, a fusão da cultura, da publicidade e do divertimento industrializado passa a manipular as consciências dos consumidores.

Durante os anos 40, o jeans populariza-se nos filmes americanos do far west

Ruptura dos padrões

"Toda a marcha criadora na moda consistirá em equilibrar o 'sob medida' com o 'já pronto'."
François Baudot

Década de 50 - Morre James Dean, símbolo da juventude rebelde, em 1955. Rock and roll de Elvis Presley; em 1954 Marlon Brando mostra seu charme em "O Selvagem". As divas do cinema: Marilyn Monroe, Audrey Hepburn, Elizabeth Taylor, Grace Kelly, Doris Day, Anita Ekberg. Tem início a Pop Art de Warhol, com uma cultura comercial. Construção de Brasília (Oscar Niemeyer). Inaugurada a TV Tupi e auge da revista O Cruzeiro. Surge a Bossa Nova. É tempo de Copa do Mundo com Pelé, de Maria Esther Bueno e de Martha Rocha. O Sputnik é lançado. O drink é cuba libre e o som é hi-fi. A lambreta é lançada.
Na moda, destacam-se Mary Quant, Courrèges, Yves Saint Laurent e Pucci. O sportswear americano entra na moda e o jeans passa a ser usado pelos jovens, com jaqueta de couro e camiseta. O beatnik é o jovem rebelde. Queda da Haute Couture, dando lugar ao prêt-à-porter. A Lycra é lançada em 1958.

Após a segunda Guerra Mundial, aparecem as primeiras fragmentações do sistema moda, num fenômeno inédito – a moda jovem, a moda marginal –, adotando critérios de ruptura com os padrões sociais. Grupos minoritários surgem expressivamente, com novos códigos, que foram multiplicados pela cultura jovem anticonformista.

A moda, no final da década, troca a austeridade das roupas pela feminilidade do New Look, do costureiro Christian Dior – que consistia em nova estética, composta por cinturas bem marcadas e saias volumosas.

O conforto perde para o glamour, que invade os anos 50. Os fios sintéticos revolucionam a moda. Surge o prêt-à-porter, com as roupas sendo fabricadas em série, e em escala industrial.

Essa modernização foi marcante também na decoração. O high-tech inova, quebrando os padrões dos móveis clássicos. Ele chega à decoração de interiores com suas linhas arrojadas e geométricas, brinca com cores e elementos vazados e lança o plástico como revestimento.

As transformações na moda jovem

"Todo revolucionário é otimista."
Humberto Braga

Década de 60. Fotorrealismo. Em 1963, Hitchcock lança o filme: "Os Pássaros". John Kennedy, João XXIII, Kruschev e Che Guevara. No Brasil, Eder Jofre, JK, Jango e os jovens vão às ruas lutar pela liberdade de expressão, contra os militares e os Atos Institucionais, enquanto os Festivais de MPB que embalam a Bossa Nova cantam, através de forma analógica, a liberdade. Twist. Ditaduras na América. São lançados o videocassete, o fax e a pílula anticoncepcional. Minissaia. Construção do muro de Berlim. Primavera de Praga. Beatles e Rolling Stones marcam a nova era. McLuhan. Jovem Guarda. O homem chega à lua em 1969.
A moda agora enfoca os adolescentes, e o jeans é usado somente por jovens. Minissaias. Entre os estilistas, fazem sucesso Yves Saint Laurent, Pierre Cardin, Courrèges, Paco Rabanne. A Op Art, com cores fortes, simetria, ilusão de ótica, entra na padronagem dos tecidos.

O ritmo do *rock in roll* continua revolucionando o mundo: ao mesmo tempo que contagia, choca os mais tradicionalistas, com seus movimentos irreverentes, e transforma o jeans em peças da moda jovem.

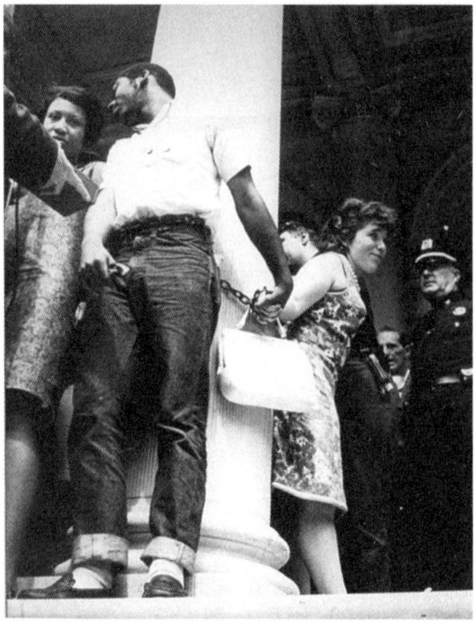

Nos movimentos jovens do mundo todo, o jeans era o uniforme de protesto

É na década de 60 que, pela primeira vez, a moda se dirige aos adolescentes e o jeans se estabelece no mercado de roupa jovem esportiva. Porém, ninguém podia usá-los em qualquer tipo de comemoração social. Com a incerteza dos acontecimentos mundiais – fim da guerra da Coréia e intensificação da guerra do Vietnã, tudo aliado à tensão provocada pela "Guerra Fria" –, os filmes e as peças revolucionárias são carregados de críticas sociais, e a arte pop sai das telas e chega às estampas das roupas. É tempo de geometria na moda e do desenvolvimento de novas fibras sintéticas, como o banlon e a helanca, que facilitavam as formas dos modelos, que variavam do tubinho às saias plissadas. Para os homens, as roupas ganham sensualidade – calças ajustadas, sem pregas, e camisas com padronagens coloridas.

A partir da turbulência dos anos 60, de protestos até na música, como a dos cabeludos Beatles agredindo a tradicional sociedade inglesa, surgem as primeiras antimodas. A moda viu-se desestabilizada e se destacam diferentes grupos, que faziam parte de uma cultura anticonformista jovem, com maneiras de vestir próprias, definindo um novo processo social.

Liberdade, paz e amor

"De uma eterna juventude, a moda acompanha o tempo e perpetua-se através dele. Ela é o espelho do reflexo da alma de uma época."

Yves Saint Laurent

Década de 70. Woodstock (1969) marcou o início da geração 70, com Janis Joplin, Hendrix, enquanto o filme "Os Embalos de Sábado à Noite", no rítmo de discoteca, com Travolta (1977) fecha essa década, dando início a um novo estilo. Hippies propõem "Paz e Amor". Surge o primeiro videogame. Ocorre a chamada Revolução Sexual (mulheres saem às ruas lutando pela liberdade do corpo). No Brasil: Leila Diniz, Tropicália, Fitipaldi, Geisel, Ponte Rio-Niterói, Transamazônica, Vladimir Herzog. No mundo: Watergate, Revolução dos Cravos, Guerra do Yon Kippur. Papa João Paulo II. Na música nacional, Os Mutantes, Secos & Molhados, Raul Seixas. É lançado o PVC. Na moda, são importantes os estilos de Kenzo, Calvin Klein, Giorgio Armani. No prêt-à-porter, o comprimento da saia é o midi.

Com o movimento Woodstock, o flower power hippy propunha a paz e a liberdade e alguns hippies e místicos desprezavam a roupa limpa e arrumada como um sinal de comprometimento com o sistema. Surge a moda unissex.

Na decoração, as estampas românticas viram pôsteres nas paredes, os carros têm cores vivas, e o vegetarianismo chega à alimentação.

Abolindo a gomalina e estabelecendo barba e cabelos longos, os hippies, com uma boa dose de imaginação, saíam às ruas propagando a paz e o amor. Depois da liberação total na moda, a década de 70 também ficou marcada pela crise do petróleo, que conduziu o mundo a uma séria convulsão econômico-social. O sonho de viver a paz e o amor diluiu-se no tempo, mas o jeans – o traje da época – continuou. Os movimentos políticos desaparecem, dando lugar ao gay power, black power, rasta, skinheads e ao feminismo (queimando sutiãs em praça pública) – grupos minoritários que buscavam seus espaços na sociedade.

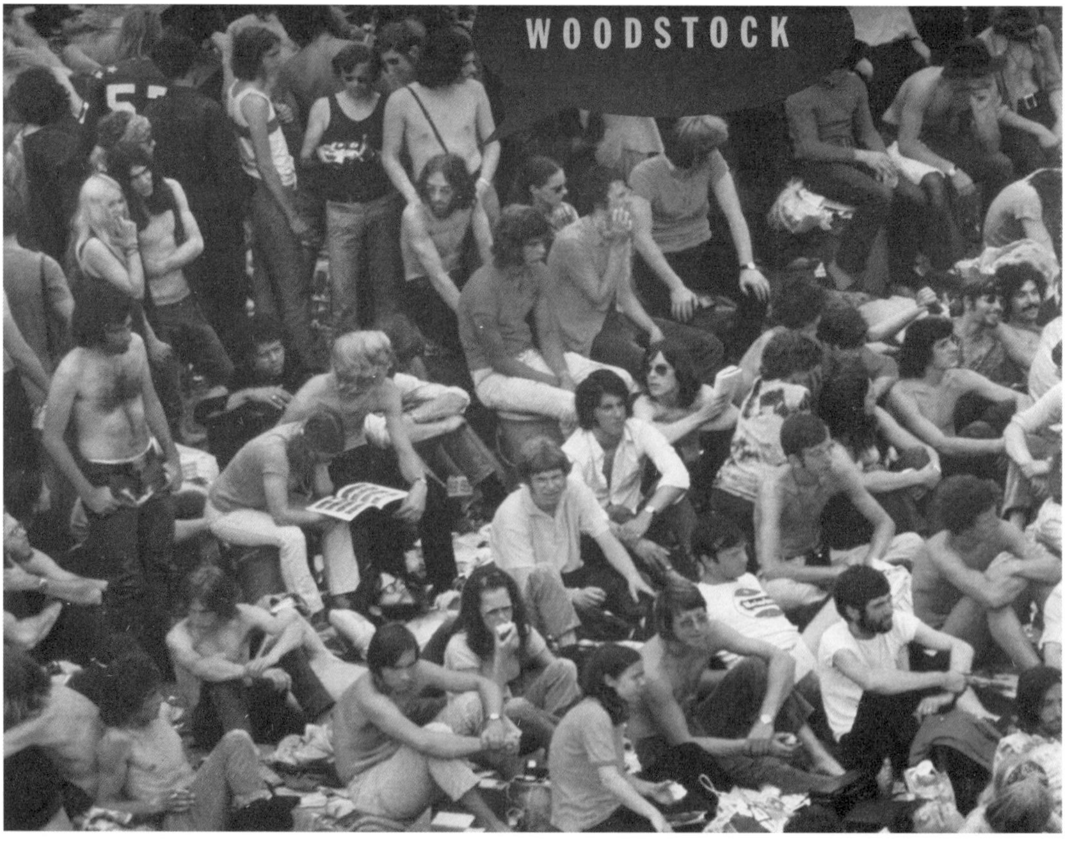

Globalização

"... um tempo ainda feito de discos de vinil, fitas cassetes e de videoteipes, em que o futuro era concebido de uma forma que a realidade dos anos 90 deixou para trás rápido demais."

Dario Caldas

Década de 80 - Era tecnológica; queda do muro de Berlim. Primeiro caso de AIDS. Morre princesa Grace Kelly de Mônaco, em 1982. Arte pós-moderna, pintura, escultura, instalação, tudo muito eclético; filme "Mad Max" juntamente com "E.T." (1982) marcam os anos 80. O mundo: Reagan; Etiópia; Glasnost; Gorbachev; Malvinas; Solidariedade.Tancredo e Sarney, Plano Cruzado, na política. Zico no futebol. Nas pistas, Piquet e Senna. Na música internacional, Michael Jackson, Madonna, U2 e Simple Minds. O rock brasileiro tem Legião Urbana, Barão Vermelho, Titãs, o evento Rock in Rio e a Lambada. Vídeo Clip. Yuppies.

Na moda praia, a novidade é fio dental e asa delta, lançados no Brasil. Estilistas: Ralph Lauren, Perry Ellis, Christian Lacroix, Karl Lagerfeld, Azzedine Alaïa, Yohji Yamamoto, Jean Paul Gaultier, Donna Karan, Ralph Lauren.

No início dos anos 80, estilistas japoneses – entre eles, Kenzo, Issey Miyake, Rei Kawakubo – invadem a moda européia e quebram os padrões pré-estabelecidos das formas, introduzindo panejamentos exagerados, ombros arredondados, estruturados e peças sobrepostas que escondiam a silhueta, também usando o jeans como tecido. As cores escuras predominaram. Mas a mulher busca, na maquiagem exagerada, nos cabelos armados e nos acessórios, a compensação da feminilidade.

Uma tendência ZEN budista, introspectiva, acompanha as técnicas orientais tanto na medicina alternativa – do-in e acupuntura – quanto nos métodos de adivinhação – tarô, I Ching.

O mundo comunista cai e dá-se o início da fase da globalização, que mistura culturas, tendências e crises pelos cinco continentes. No final dos anos 80, a revolução foi marcada pela valorização do culto ao corpo, tanto pelos homens como pelas mulheres. Práticas esportivas como o cooper e a aeróbica ganham adeptos e uma moda especial.

A Lycra explode no mercado, fazendo composição com o jeans fashion. A feminilidade é valorizada por roupas ajustadas ao corpo e a lingerie ganha formas sensuais e erotizantes, bem exploradas pelo o fenômeno Madonna.

A liberdade sexual, porém, é contida com o aparecimento da AIDS. Os arquétipos ficam bem visíveis nessa época: a mulher é muito feminina e o homem retoma a virilidade.

Madonna explora a liberdade sexual, mostrando sua sensualidade com roupas e movimentos erotizantes

Era de Aquarius

"Com os anos 90 encerra-se um ciclo de moda. Será que não se trataria de um simples parênteses na longa história do vestuário?"
Françoise Baudot

Década de 90 - O mundo não tem fronteiras, a globalização está no ar e a Internet veio somente para reforçá-la. Nelson Mandela é libertado, morre a princesa Diana (1997). Clonagem da ovelha Dolly, o mundo está um caos (ciência X misticismo; terrorismo X pacifismo). No Brasil, Collor, Impeachment, Fernando Henrique, ECO 92, Ronaldinho, Guga. Brasileiros na música jovem: Mamonas Assassinas, Legião Urbana, Raimundos, Cidade Negra, Skank; Lulu Santos, Fernanda Abreu. Na moda, Nirvana e Alice in Chains introduzem o estilo grunge na música e na roupa. Volta o estilo hippy, mas agora é hippy chic. Principais estilistas são Jean Paul Gaultier, Dolce Gabbana, Prada, Giorgio Armani, John Galliano, Rei Kawakubo.

Nos anos 90, a mulher é ao mesmo tempo dinâmica, ativa, executiva, esportista e sensual. Ela está no mercado de trabalho, batalhando lado a lado com o homem, chefiando família e empresa.

A tecnologia dos tecidos amplia a gama dos sintéticos e cria as microfibras e os "tecidos inteligentes", tornando as roupas mais práticas e confortáveis, e o homem volta a usar peças mais justas e se permite ser vaidoso.

Mas ao mesmo tempo, com camiseta e cara pintada, o Brasil vai às ruas pedir o impeachment do então presidente Collor, vestindo jeans, um uniforme que também tem sido usado, inconscientemente, pelos adeptos do movimento sem-terra.

Na mistura de tendências da moda, aos poucos, um estilo retrô traz de volta elementos dos anos 60 e 70, com o hippismo voltando reeditado. Final de século e o minimalismo que surge nos movimentos da arte moderna chega à moda, com as roupas mais austeras, usadas com poucos acessórios.

Assim como na arte, minimalismo pode ser considerado como análogo à contracultura dos anos 60: ateísta, comunista e materialista. E o jeans fez parte dessa história, integrante de um sistema de moda e uma linguagem particularmente social.

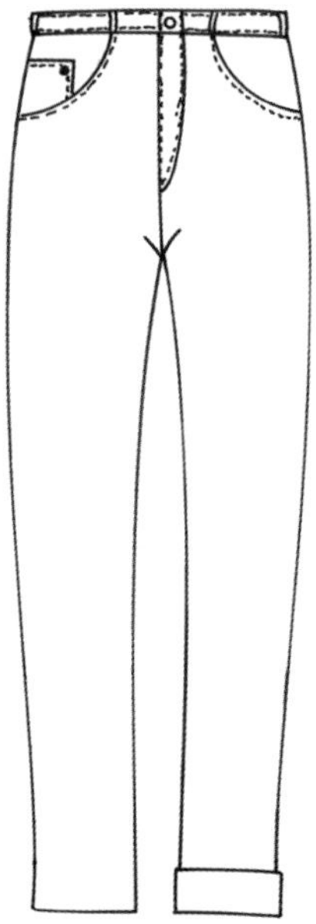

Five pockets/rock

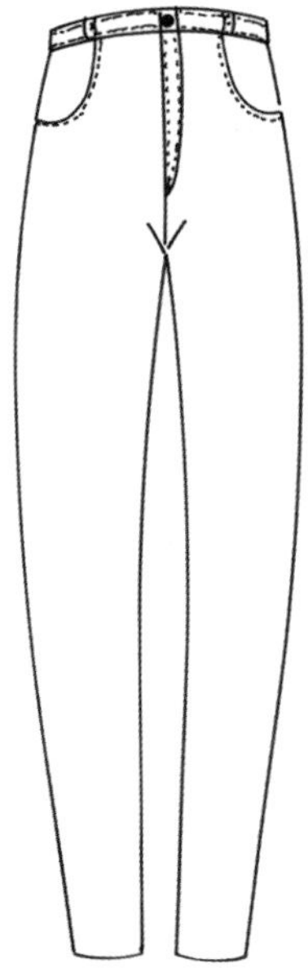

Cigarrete

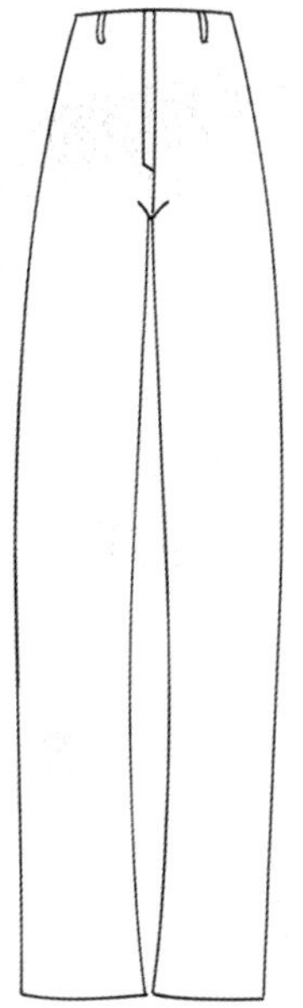

Pantalona

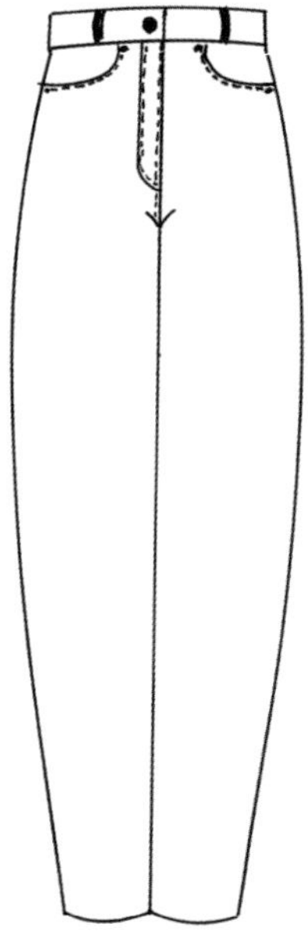

Cintura alta

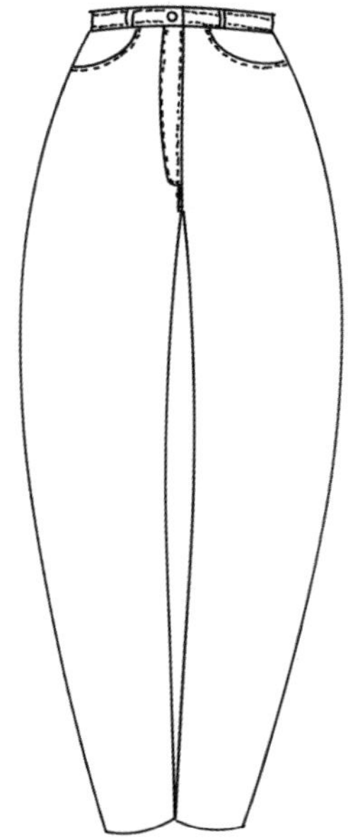

Bag

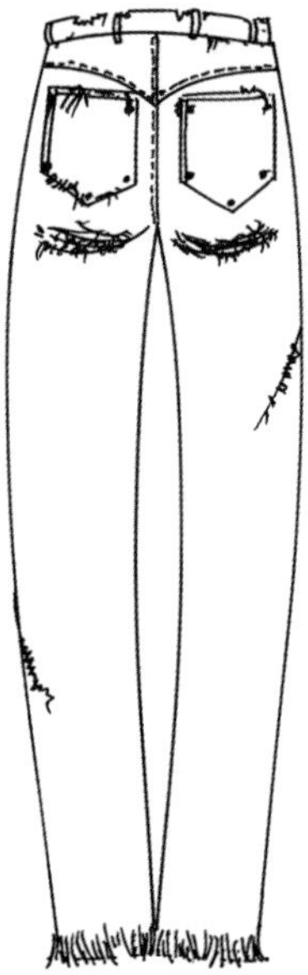

New hippy

STRAUSS & CO
S F CAL

O SISTEMA DA MODA

"Não há sistema de moda, senão quando o gosto pelas novidades se torna um princípio constante e regular."

Gilles Lipovetsky

O jeans nunca foi uma imposição

A MODA no decorrer do século XX elaborou um verdadeiro sistema, que gerou seu próprio desenvolvimento e foi responsável pelo fato de o homem usar roupa para dominar seus sentimentos de inferioridade, alcançar a convicção de sua superioridade em relação a membros de sua própria família e tribo, conquistar admiração e se assegurar de que ele pertence ao grupo. A união do efêmero e da fantasia estética se dá graças à presença do novo, à expressão da individualidade humana e aos valores culturais da atualidade.

Longe de ser um vetor de reproduções das diferenças sociais, o sistema da moda, em expansão, permitiu a continuidade da individualidade e da redução das distâncias sociais. Sociólogos da moda estudam essa força da autonomia individual que impulsiona o hedonismo das massas, e vêem que a uniformidade e o conformismo fixam a estandardização maciça das aspirações e a negação do individualismo indumentário.

O jeans não foi imposto. Foi uma roupa escolhida pelos jovens, que nunca deixou de ter um significado próprio. Alguns autores, como Valerie Steele e Ana Martinez, vêem o jeans com o dispositivo de sedução-expressão, pois ele se transformou numa manifestação da cultura individualista fundamentada no culto ao corpo – efeitos de marcar os quadris, alongar as pernas – e a busca de uma sensualidade teatralizada, com ressonâncias de aspectos sexuais.

Já Anne Hollander toma como base a sexualidade das roupas como sua primeira qualidade, pois elas se dirigem antes ao "eu" de cada pessoa, e depois ao mundo. Citando o universo infantil, ela diz que as crianças apreendem que roupas lhes dão uma identidade, definindo idéias interiores sobre seu corpo e sua sexualidade. E conclui que, no processo que se segue, o vestuário usado em público pelos adultos torna-se, finalmente, um gesto sexual recíproco em um mundo geralmente bissexual.

Mesmo quando a moda elegeu o estilo unissex, nos anos 70, não foi deixada de lado a idéia da sexualização, sedução das aparências, desejo de emancipação, diferenciação do mundo dos adultos. Essa sedução pode ser vista como uma exibição mágica que acontece pela embriaguez da mudança, pela liberdade de escolha individual e pela diferenciação de formas.

No sistema da moda, o signo – que vem a ser o código resultante da união do vestuário e do mundo, e do vestuário e da moda – é relativamente arbitrário, elaborado a cada ano, por um *fashion group*. Segundo a visão semiótica de Roland Barthes, esse signo é produzido no interior de uma cultura de massa, como uma imagem que, apesar de coletiva, é imposta pelo grupo.

Como os códigos foram multiplicados, a moda viu-se desestabilizada com os jovens criando um sistema de moda próprio, mimético, multiplicado pela cultura anticonformista – as chamadas antimodas que surgiram a partir dos anos 60, procurando um lado marginal, quase vândalo para os padrões da época, saindo de regras e convenções sociais.

Códigos e valores estéticos do vestuário

"Na moda, continuidade e descontinuidade são estabelecidas por um conjunto de traços institucionais; ela exibe ou se esquiva."
Anne Hollander

Através da História da humanidade, o vestuário é visto como uma forma de comunicação, e a moda escreveu uma imagem visual que tem se comunicado por meio das vestimentas.

No livro "A Linguagem das Roupas", a autora Alison Lurie explica que o código da linguagem das roupas, antes mesmo de ter maior aproximação, já está dizendo sexo, idade, classe social, e pode ir além, mostrando até falsamente origem, personalidade, gostos e o humor naquele momento.

Para o sociólogo Michel Maffesoli, a simples palavra "costume" é um código da vida social e até genético, que para ele é, seguramente, uma boa maneira de caracterizar a vida cotidiana de grupos contemporâneos, tomando por base a estética (o sentir em comum) e a ética (o laço coletivo).

Roland Barthes considera como código o signo, em que o vestuário por ser funcional pode tornar-se um sinalizador de determinado acontecimento, implicando num sistema de formas (como a moda).

É o caso do jeans que, dentro das funções da moda, como uma contingência, era uma roupa de trabalho, um signo de trabalho, tornando-se um signo social, uma roupa de lazer. Um outro exemplo é o signo compreendido no comprimento da cauda da casaca dos homens, que representava o poder na monarquia.

O vestuário masculino, ao longo da História, forneceu padrões e proposições estéticas às quais a moda feminina respondeu, na sociedade moderna, destacando diferentes significações nas formas do vestir.

Umberto Eco, na "Psicologia do Vestir", resume bem o que vem a ser o código do vestuário:

> "A mitra não é um chapéu para proteção da chuva e sim para comunicar que quem o usa é um bispo. Numa auto-análise honesta, verifica-se que, em nosso vestuário, o que serve mesmo para cobrir o corpo não supera os cinqüenta por cento do conjunto. Os restantes cinqüenta por cento, que vão da gravata até as solas dos sapatos, são uma opção ideológica, ou pelo menos, opção de lançar uma mensagem com códigos e convenções".

Unindo Semiologia e Sociologia, nos pensamentos dos autores, pode-se dizer que a moda utiliza uma rede de sentidos, formas, imagens, signos e palavras que ficam entre o objeto e seu usuário. Os estilos e suas cargas psicológicas tendem a permanecer por tempo indeterminado, gerando conforto, e uma satisfação obscura, misturando-se às coisas novas que excitam e seduzem. A importância da aparência é tanta que recebe o nome de *look*, que Gilles Lipovetsky define como "a personalização fantasista no espetáculo oferecido aos olhares do outro".

A moda utiliza formas como códigos para interpretar e reinterpretar fenômenos culturais, políticos e sociais, e é a propulsora mais comum da motivação.

A analogia é cópia figurativa e o "fora de moda" faz parte do sistema, incorrendo em uma condenação moral. Os textos de moda podem ser considerados crônicas de um tempo – muitas vezes confusas, que procuram explicar o passado e o futuro, o que existe e o que vai sobreviver. Assim, pode-se concluir que a moda é registrada no momento em que é anunciada e vive como um direito natural do presente sobre o passado. Isso, aliás, não se restringe à moda, mas é comum a todos os objetos culturais e fazem parte do processo de comunicação.

A indumentária usada nos esportes, por exemplo, sempre exerceu uma influência na moda. Os esportes mais prestigiados, como golf, tênis, iatismo, hipismo, desde o começo do Século XX lançaram suas roupas, até então só usadas em competições, e que foram, aos poucos, anexadas à moda. É o caso da camisa pólo, do short, da minissaia, da calça de montaria, de abrigos, jaquetas e até dos diversos tipos de sapatos e tênis.

É importante considerar também o indivíduo frente ao pós-modernismo, quando qualquer um dos sexos aprendeu que pode coexistir em seu guarda-roupa, como nos acervos dos teatros, não só conjuntos disparatados de roupas, mas também combinados.

Conclui-se então que a moda tem dois códigos distintos: o do mimetismo mecânico – quando faz muitos pa-

Dois códigos distintos: o jeans que faz muitos parecerem iguais, usado de forma a fazer o personagem parecer único

recerem iguais – e a individualidade, quando permite que cada um pareça único.

Considerando os adolescentes que vestem jeans, vê-se que são quase idênticos abaixo da cintura, mas, acima, diferenciam-se com camisetas de malha ou camisas em cores e estampas. Esse costume é um sinal de que são semelhantes, por mais diferentes que sejam social e culturalmente.

A Linguagem das roupas

"Se a comunicação se estende a todos os níveis, não admira que possa existir uma ciência da moda como comunicação e do vestuário como linguagem articulada."
Umberto Eco

O indivíduo usa uma linguagem simbólica complexa, o que faz dele um ser superior em relação a outros animais. Ao contrário do animal, o homem utiliza símbolos, que incluem a fala, os gestos e até a maneira de vestir diferenciada nas diversas culturas. As palavras ou imagens – com aspectos inconscientes – são simbólicas e geram uma manifestação imediata. O psicólogo Carl Jung afirma, no texto "Chegando ao Inconsciente", que, quando a mente explora um símbolo, é conduzida a idéias que estão fora de nossa razão.

Para o antropólogo Claude Lévi-Strauss, os fenômenos lingüísticos não emergem à consciência clara, enquanto que os culturais, tendo a mesma origem inconsciente, erguem-se freqüentemente até o nível do pensamento consciente, dando, assim, nascimento a raciocínios secundários e reinterpretações.

Esse fenômeno cultural, visto como um fenômeno de massa, torna-se visível num show, numa reunião política ou religiosa, em que atitudes, identidades e individualidades se apagam. O sociólogo francês Michel Mafesolli chama esse fenômeno de "alma coletiva". E explica esse fenômeno na moda com o conformismo das gerações mais jovens à paixão pela semelhança nos grupos ou tribos.

A linguagem ocupou lugar de destaque no aprendizado do homem e tem funcionado como meio de ele armazenar e transmitir informações. É um veículo de idéias e uma forma para que a mente do indivíduo possa se comunicar.

Os mecanismos da linguagem podem ser encontrados até nos tecidos.

Desde os primórdios das civilizações, quando os primeiros panos foram criados com cruzamentos de fios (como na arte da cestaria), os tecidos mostram texturas e motivos de cada país, marcando uma identidade cultural e uma forma de expressão. Hoje, com os processos industriais globalizados, é difícil destacar se é o linho da Bélgica ou a seda do Japão. É, sem dúvida, uma nova linguagem que se instala, uma alquimia da comunicação.

Muitas vezes, símbolos culturais são usados para expressar "verdades eternas" – utilizados em muitas religiões – que, num longo processo mais ou menos consciente, tornam-se imagens coletivas, aceitas pelas sociedades civilizadas.

Fazendo um paralelo com a moda, a ansiedade pode levar a uma conformidade extrema, já que sua linguagem também é composta por símbolos, que usam sinais e imagens não estritamente descritivas.

É usando esse processo que indústria e marketing servem-se da exposição individual e da autoconfiança estética como ferramentas de comunicação.

Por outro lado, há um código e uma simbologia das roupas que não são desvinculados do psicológico, como uma verdadeira gramática de panos e cores, formas e identidades. Esse código posiciona-se no binômio indivíduo e indumentária e para isso invade as áreas de estética, psicologia, ética, artes plásticas, literatura, sociologia e economia.

Na semiologia, o vestuário "fala" e a linguagem do vestuário não serve apenas para transmitir certos significados. Ela adquire um valor comunicativo tão forte que se torna um sinal que identifica posições ideológicas.

A linguagem das roupas pode ser identificada através das informações que elas passam. São questões individuais de idade, sexo, nacionalidade, cultura, status, conformidade e rebelião, e podem chegar a identificações, como radical, liberal, conservador, reacionário.

Usado pelo artista plástico Andy Warhol, o jeans passa a imagem do intelectual despojado

Muitas vezes, a linguagem do vestuário não comunica qualquer coisa. Não é uma mensagem e, sim, uma forma de resmungo.

A imagem fixa um número infinito de possibilidades. Como no discurso falado, cada indivíduo tem seu próprio estoque de palavras e emprega variações de tons e significados. A roupa casual, como é o jeans, tem sua linguagem descontraída e até colorida.

Para Alison Lurie, no livro "A Linguagem das Roupas", quanto menor e mais unificado o grupo, mais sutil e expressiva é sua linguagem.

E exemplifica: uma sala de estudantes universitários parece homogênea em termos de vestuário. Mas pode ser imediatamente dividida em grupos que classificarão os "esportivos" (que usam suéteres, jeans, blusões de times, camisetas); os "conservadores" (com sapatos formais, óculos antiquados); pretensos "artistas" (cabelos diferenciados, jeans em excesso, e acessórios exóticos); e os "desajeitados" ou o que ela chama de "ingênuos idiotas" (roupas inadequadas ao perfil).

A linguagem da roupa também tem "sotaque", quando mostra um visual típico de uma região ou de um grupo. Tem, ainda, a "gagueira" – com a repetição do uso de um casaco, independentemente do clima e da ocasião; o "balbucio" – quando uma mulher mais velha usa babados e fitas juvenis; ou o "grito", que aparece numa mistura de cores berrantes e estampados destoantes numa mesma produção.

Já que a moda em relação ao tempo não passa de um reflexo dos costumes da época, se focarmos num determinado grupo social, notaremos que essa linguagem é mais simbológica, projetando como a figura vestida realmente aparece, e não como ela está no espelho.

Esse é o sonho da identidade, é como ter um nome. Um nome que realizasse magicamente uma pessoa. Mas em moda, essa exibição de nome vai além, pois delega a identidade e a personalidade – observação mais evidenciada em pessoas públicas como cantores, atores, políticos, socialites, esportistas.

O indivíduo de moda sonha, ao mesmo tempo, que é ele próprio e uma outra personalidade. Nessa cultura psicológica dos jogos de "ser", a moda atua como um dos principais agentes de mudança.

O jeans, nesse processo de linguagem, e na realidade pós-moderna em que vivemos, tornou-se um símbolo representativo de jovens, enquanto só tinha autonomia como tecido. Quando, porém, ele se tornou enfeitado, com bordados, apliques e pinturas – no hippismo dos anos 70, nos punks dos 80 e no hippie-chique dos 90 –, deixou de manifestar especificidade. Em vez de ir diretamente ao código do vestuário, ele fixou em si mesmo a excitação do social.

Carga psicológica

"Nossa vontade é sempre interrompida por outras intenções a que nos devemos submeter ou, ao menos, considerar com seriedade."

M. L. von Franz

Os jovens do mundo ocidental procuram identificar-se com a imagem do que querem representar na sociedade – um código estético que influencia e cria novos estilos de vestir.

Os valores morais, ao mesmo tempo que glorificam o ser humano, enobrecem a moda. A ideologia individualista (liberdade, bem-estar) e a moda são inseparáveis.

Para o psicólogo J. C. Flügel, um dos primeiros teóricos da roupa, todas as vestes humanas são como um sintoma neurótico, em que as emoções irreconciliáveis são a modéstia e os desejos de atenção. E a atitude em relação às roupas é ambivalente – tentando satisfazer duas tendências contraditórias. O uso das roupas, segundo ele, assemelha-se, em seus aspectos psicológicos, ao processo pelo qual o sintoma neurótico se desenvolve.

Conforme analisa Joseph L. Henderson, ao mesmo tempo em que o indivíduo procura identificar-se, parece conviver com um estranho sentimento de impotência, que se inicia na idade escolar, quando a criança começa a se adaptar ao mundo exterior, sofrendo choques psicológicos.

De moto, com jeans e blusão de couro, Marlon Brando reforça sua imagem viril, apaixonando as mulheres e influenciando os rapazes

Um exemplo desse processo é o do ator James Dean, no final dos anos 50, que divulga sua impotência nas telas do cinema, com a imagem frágil e sedutora do jovem americano. É o mito do herói, definido pelo psicólogo Joseph L. Henderson, no livro "O homem e Seus Símbolos", de Jung:

> "O mito do herói surge a partir de um estágio infantil – com descuidadas brincadeiras de crianças. O segundo estágio pode ser a temerária busca de emoções da adolescência (jovens testando seus nervos na velocidade dos carros), e o próximo estágio pode suscitar, no final da adolescência, sentimentos de idealismo e sacrifícios (jovens apedrejando tanques). O idealismo da juventude impulsiona com força que a conduz a um excesso de confiança: o ego pode ser exaltado até sentir-se com atributos divinos, mas esse abuso acaba por levá-lo ao desastre".

No estudo do homem moderno, verifica-se que ele se protege com um sistema de "compartimentos", em que cada aspecto da vida é conservado em gavetas separadas.

À medida que o conhecimento científico diminui o grau de humanização do mundo, o homem sente-se isolado no cosmos, pois perdeu sua "identificação emocional inconsciente" com os fenômenos naturais – que, aos poucos, perdem suas implicações simbólicas. Então, o trovão deixa de ser a voz do deus irado, o raio não é mais um projétil vingador, nenhum rio abriga espíritos, nenhuma árvore é o princípio da vida do homem e a serpente não encarna a sabedoria.

Dessa forma, o homem deixa de acreditar em poderes mágicos e o mundo parece ter perdido todos os numes "superticiosos", como feiticeiras, bruxas, duendes, lobisomens, vampiros e seres bizarros que povoavam as florestas primitivas.

Para sustentar sua crença, porém, o homem contemporâneo paga o preço de uma incrível falta de introspecção. Não consegue perceber que, apesar de toda a sua racionalização, continua a viver possuído por "forças" que estão fora de seu controle.

São crenças e medos que não desapareceram, só mudaram de nomes, e se conservam em contato íntimo com inquietudes e apreensões. Essas complicações psicológicas podem levar os indivíduos a tornarem necessário o uso de álcool, fumo, alimento, pílulas e uma enorme coleção de neuroses.

Desse modo, se o jovem não lutar por um objetivo mais alto do que lhe é fácil obter, não poderá vencer os obstáculos que vai encontrar entre a fase da adolescência e a da maturidade. E assim o ego – que é o centro do consciente – dos jovens sempre vai correr riscos.

Vale, aqui, lembrar a definição de Henderson sobre a força dos arquétipos no comportamento humano:

> "Enquanto a consciência seleciona de acordo com a razão e o conhecimento, o inconsciente parece ser dirigido por tendências instintivas, representadas por formas de pensamento correspondentes, que são os arquétipos. Como os

> instintos, os esquemas de pensamentos coletivos da mente humana também são natos e herdados. A energia dos arquétipos pode ser concentrada – através de ritos e outros apelos à emoção das massas – com o objetivo de levar as pessoas a ações coletivas. As imagens coletivas são, de certo modo, análogas às doutrinas de iniciação ministradas aos jovens nas tribos primitivas".

Sob essa óptica, o vestuário é o signo de um jogo do vestir, já que a moda multiplica a pessoa sem o risco de ela se perder, escolhendo o que quer representar.

Nos contágios coletivos, o homem que está só, por medo de o considerarem tolo, entrega-se a impulsos que na verdade não lhe pertencem. E a roupa, como a arte, oferece o efeito representativo no complexo conjunto de ações, regras e processos que unem estética e harmonia com o psiquismo de quem a consome.

Os junguianos acreditam que as novas descobertas da psicologia experimental vão, necessariamente, mudar nossa apreciação da moral coletiva, pois as ações humanas serão obrigatoriamente julgadas de um modo muito mais pessoal e, sutil, com conhecimento de sua realidade inconsciente, conseguida através de um processo de autocrítica (reflexão sobre os problemas morais de seu comportamento), e reorganização de vida.

Os fenômenos da moda acompanham as mudanças do homem contemporâneo, que está mais preocupado em realizar seu ego do que mostrar signos exteriores.

Manipulação das consciências

"A moda é uma instituição excepcional, altamente problemática: une a negação do poder imemorial do passado tradicional, a febre moderna das novidades e a celebração do presente social."
Gilles Lipovetsky

A infância de um indivíduo é um período em que ele não pode escolher o que vestir, usando roupas compradas por outras pessoas que projetam sobre ele uma imagem totalmente manipulada.

Jean-Jacques Rousseau, na segunda metade do século XVIII, apresentou uma nova visão da infância e, em sua obra "Émile", aconselha que os membros de uma criança em crescimento devem estar livres para se mover com facilidade em suas roupas.

Ainda no início do Século XX, as crianças eram vestidas com todas as inconveniências das roupas dos adultos. Já há algumas décadas, entretanto, as roupas de marinheiro e de menina-boneca, indispensáveis no armário do bebê até a primeira infância, ganharam um parceiro para alguns e um substituto para outros: o jeans, em shorts, bermudas, calções, calças, macaquinhos e vestidinhos.

Essas demonstrações, inclusive, vêm reforçar a hipótese de que o jeans, como democratizou a moda, ajudou a quebrar essa primeira barreira, já que é uma roupa usada desde a infância.

Nas tribos primitivas, a iniciação da masculinidade e da feminilidade era marcada pelo uso de roupas e acessórios novos, de adultos.

Em ritos de passagem para a fase adulta, os romanos, por exemplo, abandonavam a toga curta para assumir a varonil, enquanto nas culturas ocidentais, trocavam-se as calças curtas pelas compridas, prática que atualmente perdeu essa rigidez.

O início de uma disputa para a livre escolha do que vestir, compatível com seu grupo, acontecia no período da adolescência. Hoje, até pela influência da mídia, a livre escolha de como se trajar começa bem antes desse período.

E é bem isso que se pode notar no comportamento, usual entre os adolescentes, de trocar inocentemente peças de roupa entre eles, numa afirmação de amizade, mas também de identidade, já que têm a mesma linguagem e expressam as mesmas idéias.

Assim a moda pode representar uma força emocional que não necessita refletir diretamente os sentimentos de qualquer um que a use – são roupas convenientemente usadas por todos de um grupo pelo simples fato de serem reconhecidos como integrantes desse círculo.

Essas roupas já estão na indústria, na mídia, e encontram sua verdade na concorrência por prestígio da sociedade. A competição entre marcas e a estandardização industrial impulsionaram uma corrida para o diferente, captando a memória dos consumidores e das conveniências do momento, como observou Gilles Lipovetsky. Ou seja, a moda usará as formas que estão contidas no âmago psíquico de cada indivíduo e será orientada pela magnética disponível, usando roupas que as pessoas reconhecem.

Assim, os mais diversos sentimentos, como agressão, tédio, esperança, desejo de voltar à infância, estarão expressos pelas roupas usadas por um grupo, mesmo por integrantes que não estão sentindo essas coisas no momento.

A moda deve seu extraordinário poder ao modo pelo qual pode fazer com que cada indivíduo se sinta verdadeiramente único, mesmo se se vestindo de maneira parecida.

É o que Lipovetsky vê como individualismo narcísico e a igualação extrema dos signos do vestuário.

Em outra perspectiva, na continuidade da moda, a forma deve evoluir a partir de um modelo anterior, opondo-se a ele, distorcendo-o ou confirmando-o. Anne Hollander afirma que, qualquer que seja a forma adotada, mais tarde lhe será dado um significado que combine com a mentalidade atual.

Essa leitura até certo ponto mostra sinais, uma vez que os modismos simplesmente identificam os componentes dos grupos que os seguem, e podem ser registrados por observadores.

Na moda, todos os fatos sociais sobre a pessoa que veste algo podem ser teoricamente mascarados. Até o gosto pessoal pode ficar comprometido e ser camuflado à vontade de objetivos políticos.

Um exemplo disso é o uso de calças por mulheres. Dentro da semiologia, Roland Barthes diz que o sentido plástico de um traje depende mais da continuidade – ou descontinuidade – de seus elementos que de sua forma.

O sociólogo Lipovetsky acredita que, quando as mulheres usam calças, não procuram ficar parecidas com os homens. Buscam, na verdade, uma imagem de mulher mais livre em movimentos, mais sexy ou mais descontraída.

Para completar o pensamento, no livro "Moda, Sexo e Poder", Valerie Steele conclui que as mulheres que usam roupas masculinas, geralmente o fazem por razões práticas, políticas ou de moda, não porque obtenham satisfação erótica direta das roupas.

Como a moda se exibe ou se esquiva, a variante da mobilidade, da independência de elementos, é que faz o indivíduo aderir ou não a outros visuais. Uma peça pode ter a bainha rebaixada ou levantada, ser abotoada ou amarrada. A cada modificação, antes de haver a transformação, acontece uma volta, como busca de uma herança precedente.

Num processo psicológico, a moda pode realizar a fantasia que, na sexualidade humana, pode ser cultuada como um fetiche. Madonna, no final dos anos 80, foi vestida em seus shows pelo estilista Jean Paul Gaultier, criador de um vestuário erótico que brincava com a sensualidade do corpo. Usava, ao lado das lingeries exóticas, entre outras matérias-primas, o jeans desconstruído em sua essência (desfiado, rasgado). Um verdadeiro fetiche que foi incorporado por amantes do mito Madonna.

Espiral individualista

"A estrutura combinatória da moda é transformada, miticamente, em fenômeno gracioso e criação intuitiva."
Roland Barthes

O individualismo pode ser considerado a incorporação da personalidade no todo do social e, com isso, surge a questão de como permanecerem resguardados os direitos do indivíduo em uma ordem social determinada pela sociedade.

Na sociedade atual, como o indivíduo, o homem procura respostas através de questões da existência humana, e parece estar sempre buscando a si mesmo, usando o corpo como expressão dos sentimentos. Essa lógica individualista apoiou-se sobre uma identidade fechada, sobre o indivíduo pertencente a uma família, classe, regime militar e igreja específicos, enquanto que a expressão do vestir só existe em relação ao outro.

Para Roland Barthes, os indivíduos podem resgatar, inconscientemente, identidades através de peças de roupas e adereços. A moda se estrutura no nível de sua história e se desestrutura no único nível que dela percebemos: a atualidade.

Em outra perspectiva, o indivíduo se sente constantemente avaliado por seu grupo social, e a moda ajuda, positivamente, nesse engajamento. Mas usar as mesmas roupas que todo o mundo usa não é uma solução, pois, ao que parece, é usar as mesmas palavras que todo o mundo fala.

O novo comportamento agora é procurar se conhecer e buscar um estilo próprio, sem a necessidade de gastar muito em produtos que dêem poder e prestígio – reproduzindo, através da moda, padrões clássicos de distinção na sociedade.

A moda, embora pareça exigir que todos se vistam da mesma maneira, vê-se comprometida com a personalidade nas próprias formas que utiliza, uma vez que essas formas materiais são geradas pelas fantasias inconscientes, que começam na psique individual.

Colocando a liberdade da moda como uma espiral individualista da pós-modernidade, Lipovetsky analisa o culto da autonomia individual como o culto ao corpo com o código psicológico e de relações sociais. A modernidade está profundamente ligada à História, ao futuro, às ideologias e lutas de classe. O mundo evoluiu, mas as disputas continuam, destacando as paixões da coletividade e dos intelectuais, com interrogações mais reais, voltadas para a vida cotidiana, para a aparência e para a identidade.

A lógica da moda, hoje, não está ligada exclusivamente a roupas, pois ela tem como objetos inseparáveis a informação e a mídia. Assim, a moda tornou-se um valor de compra e o consumidor está sempre motivado a algo de novo. A lógica então cria um conformismo e ao mesmo tempo autonomia e paixão para governar-se a si mesma.

O modelo legítimo da moda é o atual – por isso muda sempre –, diferente das futuras ideologias ou do tradicional passado. Essa lógica não destrói a cultura do passado, mas faz com que ela perca sua força de imposição e considere a perspectiva da lógica da liberdade individual.

O individualismo contemporâneo tem referências democráticas e se desenvolve em sociedades com valores de liberdade e igualdade.

Nesse contexto, cada estilista ou designer de moda tem a necessidade de afirmar sua personalidade em suas criações. A tendência contemporânea do individualismo não é mais a procura absoluta da originalidade.

Os costureiros no século XIX é que tinham de acatar o individualismo, procurando, a qualquer preço, mostrar originalidade nas roupas que faziam sob medida. Hoje, apesar da permanência da vida em sociedade, é através da moda que as pessoas procuram afirmar suas identidades e dizer quem são.

O JEANS

"Os homens têm de perseguir os seus fins, e não os da moral do mundo a que pertencem."

Carl Gustav Jung

O Jeans e a Contracultura

NO FINAL do Século XIX, muito antes de Yuri Gagarin afirmar que a Terra é azul, um tecido, também azul, surge em forma de uma roupa simples e prática, que revoluciona até hoje o jeito de vestir da humanidade.

Agora, o mundo é mais azul, pois o povo veste azul, o azul do índigo do jeans.

Os anos 60 assistiram a acontecimentos sociais marcantes nas histórias político-sociais em todo o mundo. O movimento global ficou conhecido como contracultura. Nenhum governo caiu, não houve rebeldes derrubando Estados, mas a radicalidade na contestação a qualquer forma de autoritarismo e a presença maciça de jovens estiveram presentes em toda a década. Foi o momento de anticonformismo exacerbado, de valores hedonistas de massa e do ideal individualista democrático que radicalizou maneiras de vestir de grupos.

No Brasil, os confrontos entre a polícia e os estudantes, com muitos caindo na clandestinidade da luta armada, levaram o Governo Militar a editar o AI-5 em 1968, caçando direitos políticos e instaurando rígida censura no país. Em Praga, caiu a máscara do comunismo marxista, com os tanques sufocando as manifestações contra a ditadura bancada pelos soviéticos. Nos Estados Unidos, o movimento hippie, as rebeliões nas universidades e os protestos contra a guerra do Vietnã abalaram as convicções capitalistas da sociedade burguesa americana, o "american way of life".

É impossível definir qual foi o movimento inicial, ou a primeira manifestação contracultural, pois sempre que houve cultura dirigida, ou padrão e exploração, em oposição apareceu a contracultura. O sistema ameaçado com esse grau de contestação sempre tentou, e tenta, através de modismos, massificar os jovens pela mídia e até pelo ensino – alienando-os e, por intermédio de suas diversas instituições, incorporando-os.

Relembrando os acontecimentos que marcaram as últimas cinco décadas do Século XX, nota-se que o jeans esteve presente como um verdadeiro companheiro, ora liso, clássico, silencioso, ora com adornos, rasgados, extravagantes.

No Dicionário dos Símbolos, o azul – o da cor índigo do jeans – simboliza a evasão, o vento. Na Teoria das Cores, Goethe o associa à cor do céu, à distância. Explica que, por isso, gostamos de contemplar o azul do céu, não porque ele avance em nossa direção, mas por nos incitar a persegui-lo.

E o jovem, inconscientemente, aceitou e incorporou esse azul em sua vida.

O jeans na moda

"O jeans surgiu quando o corpo sem artifícios encontrou o tecido sem referência."

Claudine Elsykman

Na época dos aventureiros em busca do ouro da Califórnia, nos Estados Unidos, chegavam a Nova York milhares de europeus que partiam para o oeste americano. Para enfrentar a nova vida, homens e mulheres escolhiam roupas que não revelassem a sujeira, fossem lavadas com facilidade e que não necessitassem ser muito bem passadas. Desse modo, eles preferiam roupas feitas de morim, aniagem ou lonita.

Primeiros modelos: mineiros do oeste americano

Em 1899, um anúncio americano já identificava o jeans como roupa ideal para ser usada por trabalhadores rurais, mineiros e operários

Levi Strauss chegou aos Estados Unidos em 1845 e trouxe na bagagem algumas peças de um tecido muito forte, para serem oferecidas aos garimpeiros para a fabricação de tendas de campanha ou coberturas de vagões de minério.

Conta a lenda que um velho garimpeiro o convenceu a fazer calças com aquele tecido, pois as tradicionais ficavam imprestáveis em pouco tempo. Strauss, em 1853, transformou em calças todo o seu estoque de denin, expressão americana que denominou o tipo de tecido francês, conhecido como "toile de Nimes": (de+nin). Fabricado na cidade de Nîmes, desde a Idade Média, o tecido resistente era utilizado para fabricação de velas de barcos e até roupas de marinheiros de Gênova – cidade que em francês é Gênes, origem da palavra jeans.

Em foto do Século XIX, o grupo de lenhadores americanos, usando jeans, exibe o resultado do trabalho da equipe

Esse denin era tingido por um corante azul, obtido a partir das plantas orientais *Indigofera* e *Isati tinctoris*, e está registrado na alfândega de Gênova desde 1140. O corante sintético foi colocado no mercado pela Basf, em 1897.

Hoje, a palavra "índigo" tanto define a cor quanto o próprio tecido.

O jeans, na verdade, já começou sua trajetória como um elemento globalizado: é um tecido francês, as primeiras roupas foram italianas, mas o mérito é do alemão Levi Strauss, e o produto virou "febre" no mundo todo.

Strauss logo teve um concorrente: Henry David Lee, fabricante de alimentos e óleos enlatados que teve a idéia de confeccionar um macacão para seus empregados com uma espécie de denim. Foi um sucesso, e Lee iniciou sua fábrica de roupas em 1926, com uma novidade, que logo foi adotada por seu concorrente: usou zíper nas calças jeans.

Essa roupa fugia aos padrões mercadológicos de custo, qualidade e equipamento, os três fatores utilizados para se confeccionar uma peça de vestuário. O resultado desse processo é um produto com bom acabamento, costuras uniformes e bom caimento. E o jeans estava longe disso.

Ainda no Século XIX, mineradores freqüentavam as ruas das cidades usando jeans

De início as calças eram tão grossas que ficavam em pé sozinhas. Aos poucos foram sendo aperfeiçoadas. Receberam bolsos com reforços de tachas de cobre para sustentar os minérios e atender às necessidades dos garimpeiros.

Dos garimpeiros para os vaqueiros foi uma passagem rápida – era o tipo ideal de tecido para agüentar horas a fio num lombo de cavalo. Os cowboys aderiram ao jeans e o cinema explorou os novos ídolos e lançou modismos, com Tom Mix e suas bombachas, e John Wayne, com as calças de bainha virada.

O pós-segunda-grande-guerra produziu uma geração com adrenalina em alta dosagem, não só uma batalha contra a moral e os valores clássicos, mas uma verdadeira revolução estética. Os jovens americanos, de famílias de imigrantes relacionados a uma origem européia, viviam em conflitos de valores patriarcais e diversas culturas presentes no processo de socialização, sofrendo como os jovens europeus.

Todos queriam romper com os códigos dominantes da sociedade. Buscava-se a construção de uma democracia que fosse socialmente integrada à política e à economia.

É importante lembrar que, cercado de conotações e simbologias, o mesmo azul, que para muitos é harmônico e tem a ver com a paz, para os americanos, em particular, o blue é melancólico – tanto que os blues ficaram conhecidos como as músicas dos negros.

Foi assim que a "juventude transviada" elegeu Marlon Brando e James Dean, nos anos 50, como reflexos de "rebeldes-sem-causa", que surgiam ao mesmo tempo com os blousons-noirs, na França, os beats e hell-angels, nos Estados Unidos, e os teddy-boys, na Inglaterra.

Os existencialistas aderiam a autores – como o radical francês Jean-Paul Sartre e o argelino Alberto Camus, conhecido como o profeta do absurdo –, aos filmes realistas da Nouvelle Vague, enquanto os aventureiros preferiam o escritor Jack Kerouac e seu livro "On The Road", que incentivava os ávidos por liberdade a trilhar novos rumos.

O rock explode com Elvis Presley que vestia jeans. As calças, com as bainhas viradas para fora, facilitavam os passos da dança nesse novo ritmo frenético, e também conquistam as jovens.

As mulheres, que aprenderam a usar calças compridas, serviram-se dos jeans urbanos, masculinos, confeccionados sem concessões às formas femininas, numa atitude libertadora. O público das cidades acaba convencido de que jeans é antimoda e rompe os padrões da época, estando atuante, inclusive mais tarde, nos atos de igualdade sexual. A cultura americana assume essa roupa adolescente como um símbolo da juventude, espalhando essa moda lentamente para todo o mundo ocidental.

Da rebeldia dos anos 50, o jovem passa a ser contestador na década de 60, ora marchando pelos direitos civis, como o movimento liderado pelo líder da revolução socialista francês, em 1968, Daniel Cohn-Bendit, ora agitando nos concertos musicais dos Beatles, Rollings Stones e, mais tarde, protestando nas ruas contra a guerra do Vietnã.

É tempo de passeatas no mundo todo e os jovens, através da similaridade, descobrem uma identidade de visual, o jeans – que, de início, era o blue-jeans, original, americano. Mas quem usava jeans era constantemente barrado em restaurantes, igrejas, colégios e salões de festas.

No Brasil, as calças Rancheiras, que eram vendidas até nas lojas de departamentos, são produzidas para atender às necessidades dos jovens brasileiros. Na metade dos anos 60, surgem as calças Calhambeque, o modelo jeans do novo mito da música jovem, Roberto Carlos. Ao mesmo tempo, a Tropicália se instala, destacando os "novos baianos", como Caetano Veloso, Gilberto Gil, Maria Betânia, Gal Costa, que vestiam jeans e batas.

A moda une exotismo e folclore nos anos 70, com o uso de jeans e flores nas roupas, estampas psicodélicas e símbolos orientais. Tudo conseqüência do movimento ideológico de "paz e amor" que buscou a função de elementos mágicos da moda com simbologia de proteção, e os amuletos usados como acessórios. A cruz aparecia juntamente com o emblema oriental Yin-Yang. Penduricalhos de dentes de tubarão, estrelas e luas, cintos de conchas, braceletes de pêlo de elefante, pulseiras-talismãs de cobre atuavam como pensamentos mágicos e protetores.

Os hippies tiveram comportamento diversificado no mundo. Eram nômades na Europa, e, na América, queriam se estabelecer em comunidades rurais para um retorno ao substrato natural, "ecológico", de toda a vida social.

Com as roupas industrializadas e os sexos sendo considerados iguais, a moda entrou no jogo de trocas e ficou unissex, tomando como base o modelo masculino. Um dos materiais mais expressivos nesse modismo foi o jeans. Com a juventude despreocupada com o vestir, o jeans foi

verdadeiramente útil, não só para cobrir o corpo, como serviu de tela para inspirações artísticas e individualistas dentro dos grupos.

Além do jeans, a camiseta é uma outra revolução do vestuário. Companheiros de lutas, o jeans e a camiseta – originalmente uma roupa de baixo, íntima, masculina – tornaram-se sinônimos de visual informal, esportivo, andrógeno e confortável.

Com a queda do muro de Berlim – e o fim da Guerra Fria –, o jeans estava confirmado como a roupa do jovem vencedor

Nos anos 80, o jeans mostra suas duas faces. É tempo de dançar, apoiado pelo novo ídolo da música, Michael Jackson, que lança o estilo break – que hoje se transformou em street dance. No ritmo das discotecas e do bailarino John Travolta, o jeans chega com brilho às pistas de dança, no tom índigo, sem lavagem, usado com blusas de sedas, lurex e saltos.

Descontraído e unissex, vai compor o trinômio com a camiseta e o tênis e vira um uniforme jovem, usado no dia-a-dia dos trabalhadores em geral, dos estudantes das faculdades, chegando a uniformes de escolas infantis e juvenis.

Nesse momento histórico, o jeans democratizou a moda, chegando até aos estilistas europeus que se renderam, colocando-o, pela primeira vez, em suas coleções de prêt-à-porter, recebendo tratamentos especiais – tanto em relação às cores, como também às formas.

Como um eterno jovem, o jeans continua a refletir suas aspirações – esteve presente na queda do muro de Berlim, em 1989, e cada vez mais se torna um produto globalizado.

No estilo hippie-chique dos anos 90, o jeans com detalhes de bordados, aplicações de galões, taxas e rendas, esteve no dia-a-dia da jovem que vai à faculdade, ao cinema e chega às casas noturnas. Na mesma década, fazendo um contraponto de estilos, o minimalismo tira o exagero e as ornamentações das roupas, deixando o jeans básico novamente.

O jeans que nasceu rústico e masculino rendeu-se aos caprichos do segundo sexo e veste toda a juventude, ajudando a fazer as revoluções sexual, social e da indústria têxtil.

Entre químicas e formas

"O jeans, em vez de conduzir ao código do vestuário,
fixa em si mesmo as excitações do social."
Claudine Elsykman

O jeans, que foi uma roupa de trabalho, perfeita para expressar os sentimentos antimoda por parte de ambos os sexos, converteu-se na roupa da liberdade, sem distinção de classe e idade.

Utilizado por todos, sem limite de idade, sexo e cultura, nenhum outro tecido conseguiu sobreviver a tantas mutações estilísticas e socais, atravessando gerações, sendo o material mais manejado nos últimos 150 anos. Durante a revolução da contracultura, os jeans não eram apenas o elemento em evidência, mas o mais duradouro e poderoso, um elemento de poder visual de parecer lúcido e verdadeiro.

Na lista de Inventário dos Gêneros, de Roland Barthes, o jeans está inserido como gênero da espécie "Calça". Uma constatação de que o jeans ultrapassa a forma de tecido e calça desbotada, usada para agredir os padrões burgueses, e passa a ser encontrado nas lojas de grifes, que ditam moda de vanguarda, nos anos 70.

Os efeitos de desbotamento sobre peças confeccionadas partiam do material tinto e começaram a ter aceitação com os hippies, que obtinham os efeitos produzidos pelo desgaste do tecido com o uso, ou através de lavagens caseiras, empregando soluções de hipoclorito de sódio. Em pouco tempo, essa tendência, que veio da rua, passa a ser uma nova atitude, e chega à indústria através do emprego de produtos químicos para provocar o desbotamento.

Para acelerar o desgaste e o envelhecimento do jeans, começaram a ser usadas pedras-pomes e argilas nodulizadas durante a lavagem, para provocar efeitos irregulares e o desbotamento, conhecido como *délavé.*

Tecnologicamente falando, o denin resulta de uma trama branca e de um urdimento tinto. Tingindo o urdume com corante índigo, o resultado é um índigo denin azul genuíno. Originalmente feito somente de algodão, o denin, como não poderia deixar de entrar no mundo dos fios sintéticos, passou a ser fabricado com a mistura de algodão e poliéster, proporcionando um fio mais forte e com maior durabilidade da trama.

Os processos em cima do denin não pararam aí. O jeans stretch surgiu da mistura com elastano, constituindo o jeans com Lycra. Assim como chambray foi uma variação de peso: 5 oz – mais leve que as 15 oz do jeans tradicional. Até os tricôs e malhas ganharam tingimento índigo, assim como as matérias-primas para a confecção de moda praia.

Nas lavagens, as técnicas variaram e serviram de estratégias de marketing para incentivar as vendas: stone–washed (solução descolorante), stone color (retingimento do produto depois do stone-washed em cor diferente), old stone color (nova lavagem com pedra sobre o produto retingido).

Hoje, em pleno século XXI, as lavagens são outras: bleached (bem claro), coated (cobertura com resina e pigmento), metalizados (pigmentos prata ou ouro), crumple (amarrotados localizados), overdyed (sobretingimentos, alterando o índigo), dirty (esverdeado, violetado ou amarelado), mustache (desgaste frontal falso), printed ou hand printed (pincelado com mensagens), sprayed (grafite surrado com as cores de arco-íris), spotty (manchados com pincéis ou jatos de tinta), vintage (usados, puídos), reservas (estampas com corrosão decorantes com motivos).

O jeans, no mundo fashion, já passou por modelagens especiais, sem perder o caráter do jeans: modelos como calças cigarretes, pantalonas, patas-de-elefante, fuseau, boca-de-sino, cintura alta, cintura baixa, além de saias e blusas de todos os tipos, macacões, macaquinhos, shorts e até biquínis.

Ao longo da história da indústria têxtil, o índigo denin caracterizou-se pelo tecido de maior produção e popularidade durante um período de tempo bem maior do que qualquer outro item da área de vestimentas. Do mesmo modo, o corante índigo é mais fabricado do que qualquer outro corante, demonstrando a força mercadológica do blue jeans. A justificativa desse sucesso deve-se às vantagens de ser resistente, de fácil lavagem, ter caráter utilitário e ser um nivelador social.

O jeans continua vivo. Pode ganhar, em algumas castas sociais, um código de chique, com nome e sobrenome (de grifes), mas em sua vida normal veste o povo em geral, com a tradicional composição de 15 oz, e na cor índigo.

Na visão de novo século, o jeans já não nasce mais de um simples desenho de moda. Ou ele busca o tradicional modelo five pockets-jeans – com cinco bolsos, original da etiqueta Levi's, desde o início com o corte das pernas reto, braguilha com botões, rebites e etiqueta de couro – ou surge de projetos como o da engineered da Levi's, que tem o design visando à anatomia do corpo humano em movimento.

Como diz o nome, uma verdadeira engenharia em termos de composição do tecido e de forma – um processo que pode ser visto como uma nova comunicação funcional e que a mídia apontou como um novo produto de moda jovem.

A silhueta feminina voltou a buscar a sensualidade e as modelagens jovens exageram nas formas ajustadas, com cinturas deslocadas para baixo.

Os grupos e seus uniformes

"Sob a roupa esconde-se uma ideologia: a da solidariedade, da proteção e do reconhecimento no seio do bando; fora dele, a ideologia da violência e da agressividade."
Françoise Vicent-Ricard

A moda é um elemento de comunicação e, dentro de um grupo, a maneira de vestir pode tornar-se um símbolo. Fazer parte de uma tribo pode ser confortável como identificador do grupo definido por idade, grau de instrução, tipo de trabalho e posição ideológica.

A necessidade de fazer parte de um grupo, de se parecer com alguém, não tem a carga e a responsabilidade individual de decisão, mas tem o custo da própria liberdade. E essa é a posição dos inconformistas, rebeldes e contestadores – vanguardas transgressoras e até sonhadoras.

Podemos observar que o contágio coletivo pode levar as pessoas a um tumulto irracional diante dos conflitos na vida: aventura e disciplina; mal e virtude; liberdade e segurança.

Considerando o que diz a sociologia, na história do jeans, ele já foi a vestimenta de vários movimentos, vestiu e veste muitos e diferentes grupos sociais. Será que ele pode ser considerado um uniforme de tribos?

Dentro de um grupo social, ter uma fantasia particular é socialmente perigoso, como analisa Anne Hollander, dizendo que grupos de estudantes terão aparência intercambiáveis até de grampos de cabelos, fivelas de cintos, competindo apenas por uma margem, um toque individual à mesmice dominante.

Hollander lembra que eles se unem em tribos disponíveis e compartilham um conjunto de disfarces impessoais como aceitação pessoal ao grupo. Vestindo roupas iguais, assumindo hábitos comuns, o grupo o protegerá do ridículo.

Uma das primeiras atitudes de uma tribo é instituir um uniforme que, como qualquer outro, de categoria trabalhista é, com freqüência, consciente e deliberadamente simbólico, identificando quem o veste e a qual hierarquia pertence. Com ele, o indivíduo abandona o direito do discurso livre na linguagem das roupas, e é obrigado a repetir o diálogo do grupo.

As sociedades ocidentais são burguesas e um tanto racionais no que diz respeito ao indivíduo e suas relações de trabalho e política.

Dentro dessas sociedades, entretanto, são encontrados microgrupos, chamados de tribos, que podem ser considerados como neotribalismos, que criam um clima holístico de sensibilidades vividas em comum.

André Lemos, no trabalho "Ciber Sociedade, Tecnologia e Vida Social na Cultura Contemporânea", sobre o que é a socialidade, destaca o que considera um conjunto de práticas cotidianas, que escapam ao controle social rígido, insistindo numa perspectiva hedonista, tribal, sem perspectivas futuristas, enraizando-se no presente.

Os componentes do grupo vivem momentos de despesa improdutiva, de engajamentos efêmeros, de submissão da razão à emoção de viver o "estar junto", agregando determinado corpo social. A socialidade contemporânea vai se estabelecer, então, como um politeísmo de valores onde nós "atuamos", desempenhando papéis, produzindo máscaras de nós mesmos, agindo numa verdadeira "teatralidade cotidiana".

Mas Ana Martinez completa esse pensamento, afirmando que "frente ao postulado básico do individualismo, que pretende substituir a pessoa pelo indivíduo, assistimos a substituição do indivíduo pela pessoa, na busca de uma identidade estável por um portador de máscaras sucessivas em diferentes esferas sociais".

Ou seja, o que caracteriza e marca o momento atual é a estética – ou a emoção experimentada com outros diante de um objeto – como expressão do ambiente tribal.

Tribos de fama mundial

"O rito do vestuário e sua encenação têm de passar pela palavra código. Quem conhece o código é também reconhecido e passa a atuar na mesma sintonia."

Françoise Vicent-Ricard

As sociedades modernas convivem com o policulturalismo – uma multiplicidade de estilos.

O tribalismo, considerado como um símbolo, tem objetivos sociais concretos e é governado por pressões emocionais. Os grupos tornam-se absolutos e a identificação propicia uma agregação, como movimentos feministas, ecologistas –, e que algumas vezes podem ser considerados como tribalismo efêmero, exatamente como as uniões desportivas, de moda.

Michel Mafesolli explica que "qualquer que seja a situação e a qualificação moral, que sabemos, é efêmera e localizada, a partilha do sentimento é verdadeiro cimento societal". Ele pode conduzir à rebelião política, à revolta pontual, à luta pelo pão, à greve de solidariedade. Ele pode, igualmente, exprimir-se na festa ou na banalidade.

Os indivíduos se unem em tribos por motivos psicológicos, verdadeiras forças de atração – procurando relações interpessoais, crenças comuns, mesmos ideais, agredir etc. – mas muitas vezes procuram estar perto de um mito. Esse tipo mítico age como agregador, uma imagem tutelar dessa comunidade emocional que é a tribo – um grupo em que cada membro, conscientemente ou não, esforça-se para servir aos interesses dos companheiros e não simplesmente se refugiar nele. Como nas comunidades que substituíram as aldeias antigas, o grupo necessita de um líder, um guru, uma celebridade local.

O ideal de uma tribo, ou mesmo de uma comunidade, como diz o sociólogo Mafesolli, é mais um efeito da contaminação do imaginário coletivo do que persuasão de uma razão social. Às vezes, porém, a forma de se manifestar torna-se macroscópica e informa os grandes movimentos de massa, revoltas, revoluções políticas, sociais e econômicas.

Em "As Espirais da Moda", Françoise Vincent-Ricard lembra que, desde 1940, as novas gerações sempre conseguiram expressar a força de suas aspirações por meio de uma terminologia precisa. Os nomes dos movimentos de juventude fazem parte da linguagem da moda e, desse modo, traduzem e reconhecem os fatos sociais.

Dentre as tribos que ficaram famosas, destacam-se as que mais influenciaram a moda, como os Hells'Angels, motoqueiros baderneiros, que adotaram as calças jeans, os blusões de couro, correntes como pulseiras e tatuagens no corpo. É um grupo que permanece até hoje com as mesmas características, cultuando as motocicletas Harley Davidson e a liberdade.

Surgem também os "degenerados", como eram conhecidos nos anos 40 os zazou, que eram os "novos selvagens", jovens apaixonados pelo jazz, usando paletós longos, desgastados, calças apertadas, sapatos não engraxados, gravatas de lã e cabelos bem mais compridos do que era estabelecido pelo padrão da época, untados com azeite de salada. Ao final da guerra, os teddy-boys aparecem entre os jovens ingleses, com uma atitude mais agressiva que a dos zazous. Eram os "durões" que queriam dominar as mulheres. Vestiam longos jaquetões de veludo, coloridos e vistosos; penteavam-se com topetes enrolados.

No início dos anos 50, entre os jovens americanos, os beatniks (beat significa beatitude) foram o grupo contestador que durante a guerra da Coréia se refugiou, com falsa beatitude, no seio da sociedade. Seus seguidores usavam barba e cabelos curtos, vestiam calças caquis ou jeans, suéteres longos e sandálias.

Os roqueiros, tipo Rollings Stones, aderiram aos blusões negros de couro que, com atitudes violentas, quebraram padrões e passaram a simbolizar bandos de jovens que tinham como slogan "defender o seu couro".

Outro grupo musical inglês que aderiu ao beat foi o dos Beatles. Eles queriam parecer dóceis, com cabelos longos e ternos de veludo justos e curtos, usados com camisas de rendinhas – tudo ousado e irreverente para os ingleses tradicionais. Um visual escolhido para levar suas mensagens aos jovens irriquietos dos anos 60.

Em 1969, no show americano de rock, Woodstock, o mundo conheceu os hippies. Para alguns seguidores da nova doutrina, era um requestionamento da ética do trabalho, pregando a volta para a natureza, enquanto para outros, sonhadores melancólicos, representava um refúgio. Os hippies, gritando por paz e amor, apareceram na Califórnia,

A banda dos Rollings Stones quebrou padrões e passou a representar a imagem da juventude rebelde

em 1966, tocando sininhos orientais, com flores e bordados aplicados artesanalmente nas roupas. O nome *hip* em inglês significa zombar, e é o que faziam para expor ao ridículo a Guerra do Vietnã.

O movimento punk, por sua vez, alcançou o auge na Londres de 77, com a banda Pistols, que foi formada para vender os produtos da grife Sex, propriedade de Malcom McLarem, empresário da Pistols. A grife produzia trajes com uma sofisticação surrealista – um estilo de calças com correntes e alfinetes, para serem usadas por jovens que portavam piercings nas orelhas e no nariz, tatuagens no corpo –, que conquistou adeptos no mundo todo. Os cabelos eriçados e tingidos com cores fortes mostravam a agressividade, e eles eram a própria expressão de violência, numa época de desemprego para a juventude, nos anos 70. James Laver, em "A Roupa e a Moda", conclui que eles provocavam simultaneamente raiva, culpa, compaixão e medo. O new wave foi o punk na versão suavizada americana.

Os yuppies (Young Urban Peoples), jovens urbanos, dinâmicos, do mundo dos negócios, eram cidadãos ambiciosos, representantes do mundo contemporâneo, atuantes na área profissional. Destacaram-se por escolher fugir dos ternos, conciliando o espírito esportivo e a cidade, e trocando a severidade pela funcionalidade, usando calças jeans com blazers e gravatas.

Na mesma época, na Europa, os preppies (estudantes) aproximam-se do estilo inglês e vestem camisas pólo com calças de flanela, ou com calças descontraídas.

No mundo contemporâneo, assiste-se à eclosão simultânea de grupos, muitas vezes sutilmente diferenciados entre si e, bem por isso, difíceis de serem classificados. Os sinais de identificação podem misturar elementos do passado e parecem, por vezes, camuflados, ou com sinalizadores nos cabelos, nas roupas, atitudes agressivas e até musicais.

São os componentes da marginalidade cultural como os rastas (ideologia da África, com cabelos trançados e túnicas coloridas), os skinheads (neonazistas, com cabelos cortados rentes às cabeça), grunges (originários das bandas da cidade de Seatle, Estados Unidos, com despojamento total, misturando peças clássicas com as de brechó), funkies (baseados na música com batida ritmada) e rappers (ambíguos, excêntricos, com calças largas de cintura muito baixa, dançando e dando seus recados sociais: racismo, preconceito, periferia), clubbers (produzidos para dançar na noite, vestem roupas alternativas, com brilhos e são adeptos do ritmo techno).

Também podem ser considerados como tribo os sem-terra, grupos de trabalhadores rurais que mantêm lutas sociais em busca de um pedaço de chão. Eles também têm sua ideologia e se vestem com uniforme simples: jeans e camisetas.

Essas multimodas são analisadas por observadores que crêem que já não há o desejo de chamar atenção, de se exibir.

Jean Baudrillard, também citado no livro "Espirais da Moda", afirma que a ironia das novas gerações é fruto de um absoluto narcisismo, sem qualquer ilusão. Esse narcisismo pode ser exemplificado com alguns grupos específicos, como "patricinhas e mauricinhos", jovens que se destacam na sociedade por escolher vestir um uniforme caro, composto só por grifes famosas. Ou os cantores sertanejos que estão mudando o visual sem mais se preocupar em vestir a dupla com roupas iguais. Como os cantores de pagode que, ganhando popularidade, dão preferência a vestir grifes estrangeiras.

A moda, então, passa a ser um determinante de identidades visuais e, além do status social, do trabalho e da luta pela vida, define o status de poder, da riqueza, do trabalho.

Mimetismo mecânico e códigos grupais

"As próprias formas que as roupas assumem evoluíram a partir de fantasias profundas comuns a todos de uma cultura coletiva."
Anne Hollander

Qual é o caminho social da moda? Que classes consomem primeiro as novidades da moda? Sociólogos modernos têm estudado esse percurso e chegaram à conclusão que, em geral, as inovações são dirigidas às classes superiores, que têm poder de compra. A difusão da moda se faz verticalmente, das classes mais altas às menos favorecidas, que consomem pelo poder imitativo – da busca pelo status.

Esse processo sempre aconteceu nas sociedades pós-industriais – assim que as novidades são lançadas no mercado, é ativada, rapidamente, a produção em série de produtos, barateando e possibilitando o consumo. No caso do jeans, que é um dos símbolos mais característicos da moda do século XX, ele também invade o processo elitista. Como ele é mais que moda, mais que um modismo, um ícone que reflete os valores do homem contemporâneo, aparece nos mercados das classes A, B, C e D, sob as formas de grifes ou simples marcas sem expressão e preços diferenciados.

É o que ficou definido como mimetismo mecânico, que Lipovetsky, no trabalho "Império do Efêmero", define como irradiação da moda. Segundo ele, "funciona a nível do conformismo, da adaptação e do acompanhamento cego. Alguns modulam, se adaptam, outros seguem rigorosamente os cânones do momento".

Os grupos sociais acabam por ter seus códigos e, quando entra o jeans, esses códigos parecem tornar-se menos obcecados pelo prestígio que as roupas exercem socialmente. Uns compram grifes, outros buscam modelos que se pareçam com as peças de grifes, enquanto outros se preocupam com etiqueta, e alguns vestem o que o grupo escolheu para vestir. Mas todos usam jeans.

A versatilidade da moda expressa-se nas diversas manifestações da estratificação social, e o visual deixa de ser um signo estético de distinção individual.

Incluindo um pensamento de Barthes, pode-se ter uma leitura do jeans como produto de massa. Existe uma equivalência entre o vestuário e o mundo, e o vestuário e a moda que ele define, afirmando que "os traços mundanos são infinitos, inumeráveis e abstratos. No vestuário, a classe é constituída por uma coleção finita de objetos materiais, enquanto que, no mundo e na moda, essa classe é imaterial. Quando confrontados mundo/moda e vestuário, transformando-se em termos de uma relação de manifestação – não somente o traço vestimentário equivale ao traço mundano ou à asserção de moda, mas ainda os manifesta".

Vivemos num mundo onde nunca estamos sozinhos, pois as memórias coletivas estabelecem uma relação entre o grupo e o indivíduo – um pensamento pessoal é aquele que segue a inclinação de um pensamento coletivo (da agregação social). São essas memórias que descrevem o sistema simbólico e o mecanismo social, pois são reveladores para as ações e experiências individuais.

Michel Maffesoli, baseando-se em princípios de Jung, explica as memórias coletivas, que "podem ser a forma onde entram em composição os arquétipos e as diversas intencionalidades que permitem o ajustamento a esses arquétipos, permitindo, de algum modo, infundir-lhes vida (habitá-los)".

Essa abordagem pode ser bem mais profunda se incluirmos aqui uma "coincidência significativa" entre acontecimentos exteriores e interiores que têm entre si relação casual – podendo acontecer certo fenômeno em determinadas situações psicológicas. São acontecimentos que passam despercebidos ao indivíduo que não aprendeu a observar as coincidências, como explica Von Franz, no Processo de Individuação.

Esses acontecimentos parecem ser mais que uma coincidência que, na área da psicologia, são efeitos, acordos significativos entre fatos psíquicos interiores e exteriores – e que podem ser notados em atitudes grupais.

Existem exemplos claros na sociedade ocidental: nos anos 50, o aparecimento, ao mesmo tempo, e em grandes cidades de diferentes países, de vários grupos de jovens revoltados contra a sociedade; a tendência de moda e teorias orientais (medicinais e esotéricas) no mundo, no início dos anos 80; o atual reaparecimento dos violentos grupos nazistas, coincidentemente, em várias cidades do planeta.

Um outro exemplo diz respeito a um artigo sobre uma exposição de fotos que revelam dress codes (códigos de indumentária), denominada Mera Coincidência, dos holandeses Versluis e Uyttenbroek, do jornalista Gilberto de Abreu. Ele diz que todo o mundo já teve, pelo menos uma vez na vida, a experiência de se deparar com alguém muito parecido com outro, até em outros países, seja pela cor dos cabelos, pelo tipo de pele, ou o estilo de roupa que usa.

No parecer da sociologia, Michel Maffesoli mostra claramente esses dois conceitos, afirmando que "cada vez mais nos damos conta de que mais vale considerar a sincronia ou a sinergia das forças que agem na vida social. Isso posto, redescobrimos que o indivíduo não pode existir isolado, mas que ele está ligado a uma comunidade pela cultura, pela comunicação, pelo lazer e pela moda".

Esse fenômeno é o que Mafesolli chama de "princípio de 'similitude', ou um intermediário entre o mundo natural e o social, que fica na base do 'nós', da massa popular. O autor conclui que esta é a presença da 'culturalização' da natureza ou a naturalização da cultura".

O mimetismo, então, se dá conforme o tipo de relação estabelecida com o outro. Valem aqui a intenção, a sintonia, a sensibilidade e o estilo – uma espécie de empatia que contamina.

Em muitos países do Terceiro Mundo, trabalhadores jovens são capazes de dar o salário de uma semana por um jeans e compram peças importadas só para se sentirem com a roupa "clichê", padronizada.

Essa sensação de "uniforme", porém, é para os estranhos, pois para os que pertencem ao grupo as diferenças são significativas. É o caso dos estudantes distinguirem os jeans de grife.

Entre os estudantes do segundo grau de uma escola americana, a realidade é a seguinte: os excêntricos usam Lee; os chicanos, Wrangler, e os demais, Levis. Ficam evidentes alguns problemas dos jovens, particularmente de seu desenvolvimento em direção à maturidade, o que nem sempre significa liberdade, autonomia e emancipação.

Buscando sua liberdade, os rebelados podem encontrar outros desacomodados e detonar o vínculo opressor das obrigatoriedades. As tribos distinguem a dimensão das vanguardas, das transgressões, em que o preço da coragem é alimentado por um sentimento presente em todos os indivíduos, a necessidade de fazer parte de um grupo, de se parecer com alguém. Dentro de uma grande tribo, a moda é uma arma comunicativa do grupo, é seu símbolo, seu emblema e seu hino.

É humano e confortável fazer parte de um grupo, mas pode custar a própria liberdade.

A dimensão dos inconformistas e contestadores detona os sistemas pré-estabelecidos. O caráter destrutivo é jovem e alegre, pois rejuvenesce, afastando do caminho os vestígios da própria idade.

Os sistemas burocráticos das sociedades modernas colocam o indivíduo como função – a pessoa que representa papéis. Esses sistemas romperam códigos estéticos que foram multiplicados pela cultura de massa anticonformista jovem – manifestando-se pelo vestuário, valores, gostos e atitudes.

Alguns chegam a procurar o sagrado, utilizando símbolos fortes nas peças de roupa ou chegam ao extremo de marcar o próprio corpo com esses símbolos – em forma de tatuagens –, com a idéia da estética na procura da mitologia pessoal. Outros procuram ser mimeticamente iguais a seus heróis, com o desejo de ter sua força, sua beleza ou sua atração.

É quando o jeans passa a ser um objeto de consumo.

Excentricidade choca e surpreende

"A dessemelhança, da mesma forma que a semelhança, pode ser uma causa de atração mútua."
Michel Maffesoli

Buscando a moda como linguagem visual, forças antagônicas atuam como técnicas usadas para a identificação de soluções visuais. Pode-se listar o que seriam o contraste e a harmonia – que causam a excentricidade, dentro dos padrões atuais de estilo: assimetria/simetria, complexidade/equilíbrio, exagero/minimalismo, ousadia/sutileza, distorção/exatidão.

Nos anos 60, jovens americanos e europeus, numa coincidência significativa, começaram a adotar como roupa peças de fardas do Exército de Guerras Civis, das grandes guerras, intrigando a sociedade em geral. Tornaram-se imagens muito divulgadas pela imprensa, pois as roupas tinham mensagem implícita – apareceram no momento exato das manifestações contra a guerra do Vietnã.

Os uniformes militares tanto significavam despersonificação dentro do grupo, quanto podiam representar papéis fetichistas, como na conotação erótica de violência entre dominação e submissão. Os uniformes são signos que carregam sinalizações antigas.

Apesar de os jovens registrarem o ideal de moda individualista, consagrando a extrema importância do parecer, eles como membros de uma tribo arriscam o excesso, a provocação e a excentricidade para desagradar, chocar, surpreender.

"Foi assim no folclórico e negligente hippismo, no feio e repulsivo punk e na afirmação étnica do black power e do rastafari. Em todos esses momentos, as roupas usadas pelos jovens indicavam os novos valores de vida que eles desejavam mostrar ao mundo exterior", definiu Carl Gustav Jung, em "O Homem e seus Símbolos".

O protesto e o descontentamento social tendem a adotar um modo de vestir característico, extravagante a cada grupo, sempre marcado por signos como jaquetas, roupas rasgadas, presas com alfinetes, camisetas com grafismos chocantes e até pornográficos. A contracultura se fez presente também no Brasil, na versão Tropicália dos anos 70 e até nos punks que nos anos 80 se destacavam nas periferias das grandes cidades.

Roland Barthes, em seus estudos, fala que no processo da moda, a fragilidade é que dá o prestígio, pois a idade é mais importante que o sexo. Quanto à retórica, o autor diz que ela põe ao alcance dos indivíduos a identidade e o jogo que parecem encontrar-se em todas as obras de massa e nos mínimos comportamentos dos grupos que dela participem.

Em um determinado momento, na sociedade surgem referências significativas – de início submersas, sob a aparência das pessoas que se vestem de forma comum –, que vão formando um fluxo mutável da forma.

Anne Hollander, no livro "O Sexo e as Roupas", exemplifica esse conceito com as ombreiras que avolumam e as saias que encurtam, lapelas que ficam estreitas ou largas e até desaparecem por um tempo, ou mesmo peças de roupa de baixo usadas como sendo peças urbanas (camiseta, sutiã), barba ou ausência de barba, cabelos longos ou curtos. É o ritmo irregular e próprio da moda que muda seus elementos, tornando-se um indicador temporal.

O significado social das roupas é limitado a quem as usa no momento e não ao por que as usa. Um exemplo é a atitude dos jovens executivos americanos se destacando como yuppies, por usarem um uniforme de trabalho diferenciado, numa tentativa de separar os elementos de terno com jeans.

Muitas vezes as pessoas usam coisas por teimosia, para surpreender ou por nenhuma razão, o que deixa incerta a política e a forma que a moda assume. O significado expressivo real foge das expectativas estabelecidas e flutua livremente no mundo da imaginação entre as aspirações inconscientes e as nostalgias.

Assim como na música e na dança, as coisas novas são adicionadas ou assimiladas. São como os neologismos da linguagem.

Esse tipo de moda tem um lugar com certeza e, para produzirem qualquer efeito, as mudanças devem ser absorvidas em um esquema durável. Esse sistema de vestuário pode constituir-se em espelhos sociais muito mais precisos. São mais expressões diretas do que representações — e, muitas vezes, o gosto pessoal pode ser camuflado.

Quase sempre, vestimentas e acessórios dão a impressão de ser "não-moda", mas, ao contrário, tem um compromisso com a ironia.

Cowboy

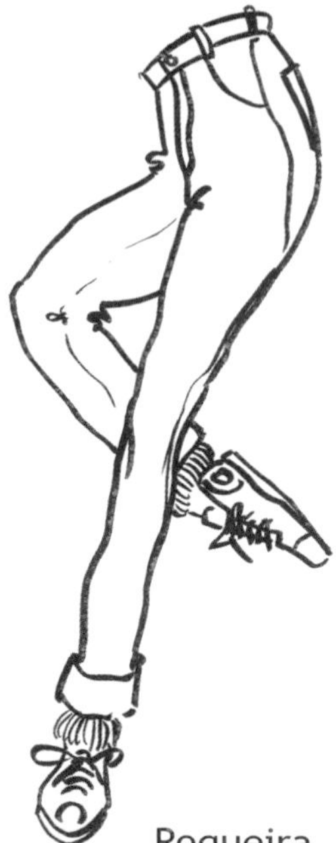
Roqueira

Hippy

Punk

Yuppie

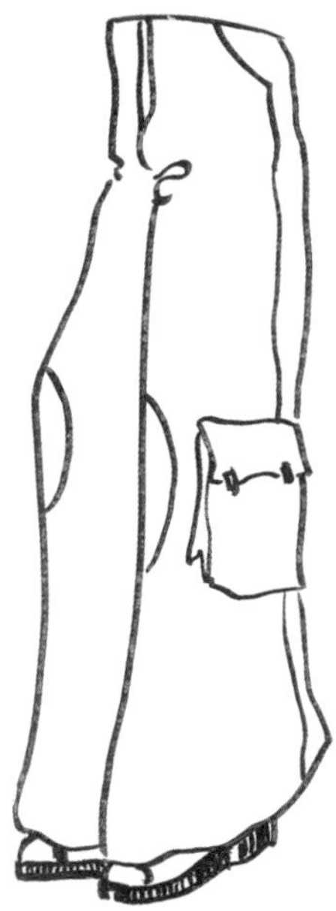
Skatista

O jeans na mídia

"Está na lógica da mídia ser um simples pretexto para a comunicação."

Michel Maffesoli

Nas sociedades ocidentais capitalistas, a ordem é consumir. O marketing lança suas estratégias como garras e, através delas, entre elas a publicidade, impulsiona uma corrida para captar a atenção dos consumidores, não só para o novo, o inédito, mas também para atingir as convenções sociais, religiosas, a memória grupal e o desejo individual.

O poder da mídia chega a persuadir o consumidor com base na credibilidade das mensagens, humanizando a marca e dando-lhe um visual personalizado. No trajeto informativo, toda a mensagem comporta um ponto de emissão, um canal de transformação e um ponto de recepção.

Em "Sintaxe da Linguagem Visual", Donis A. Dondis afirma que para associar as estruturas verbal e visual buscam-se três níveis distintos e individuais: o input visual (sistemas de símbolos), o material visual (identificado no meio ambiente, e pode ser representado) e a estrutura abstrata (seja natural ou resultado de composições para efeitos intencionais).

A difusão da moda foi feita pela representação e a afirmação que ela denota como signo da pretensão social. O terno com colete combina muito bem com o kimono no guarda-roupa do empresário japonês. Michel Mafesolli chama isso de "enraizamento dinâmico".

Do mesmo modo que a moda individualiza a aparência dos homens, a publicidade personaliza a marca. Buscando valorizar o produto, a publicidade cria uma ambiência especial, na harmonia plástica da fotografia, que fala diretamente com seu público-alvo.

Para Umberto Eco, na corrida à imitação, a publicidade esvazia as escolhas de seu significado primitivo. Isso é valido na moda, já que os códigos são flutuantes – ora se manifestam, ora se desfazem.

A propaganda, como técnica de controlar atitudes, sugerindo o consenso de grupos em relação a determinados interesses, é um processo de dominação moderna, e sempre se adaptou às transformações culturais, procurando o canal adequado para lançar sua comunicação afinada com seu público.

Gilles Lipovetsky explica que, na ordem da comunicação, se a moda é o feérico das aparências, não há dúvida que a publicidade é o feérico da comunicação. Da mesma maneira que a moda não pode ser separada da estetização da pessoa, a publicidade funciona como cosmético da comunicação.

Um modelo, ao se expor à mídia, não está só vendendo algum produto. Por meio dos mecanismos de projeção e identificação existe, também, um sutil momento místico do ritual que compartilha esse mimetismo e o sonho do parecer jovem e bonito. O poder da moda é mostrado na mídia como a passagem do corpo abstrato para o corpo real.

Barthes define bem, afirmando que, em primeiro lugar, propõe um corpo ideal encarnado (o da manequim, da moça da capa das revistas de moda), um paradoxo em sua função estética, pois não se trata de um belo corpo, é uma estrutura submetida a regras canônicas plásticas. Como os corpos ideais são decretados a cada ano – são os corpos que estão na moda –, ela ajeita o vestuário de tal modo que transforme o corpo real e chegue a fazê-lo significar o corpo ideal da moda (e isso é feito através da arte da costura).

Desse modo, seja em publicidade, vendendo, ou em editorial, informando, na moda a forma desejável é mostrada e contada com ilustrações e fotos.

Na fotografia, as roupas têm todas as características de uma atitude, num momento, numa época. É uma linguagem particular, diferente da escrita, que pode ser definida como uma mensagem sem código. Entretanto, não há fotografia sem significação porque existe um código fotográfico. É pela linguagem escrita ou pela da fotografia que se pode analisar o papel do homem nas sociedades em diferentes épocas.

No processo da comunicação, as primeiras imagens narrativas eram elaboradas por pintores, seguidos de gravadores e depois de retratistas. Bem mais tarde é que entram os designers da publicidade.

Quanto mais agradavelmente são repetidas, mais as imagens de produtos e serviços se tornam desejáveis. Elas se associam significativamente e ficam dispostas a uma imitação instantânea, seguidas de modificações rápidas, subversão e redescoberta final. No caso de cantores, atores de personagens que se tornam mitos, embora sejam a música e a interpretação o que dão início à popularidade, não é o indivíduo que representa, mas suas milhares de imagens que, distribuídas nos meios de comunicação, dão vida e alimentam a febre por sua aparência.

A moda nos meios de comunicação é uma ampla informação que o público recebe sobre variedade e qualidade do vestuário usado no mundo todo. A população vê e julga, formando pontos de vista sobre as roupas das figuras públicas globais que têm de cuidar de suas aparências sempre, para parecerem perfeitos.

Anne Hollander conclui que no ato de vestir a aparência sobrevive ao uso, e a existência da mídia tornou todas as figuras efêmeras mais palpáveis e reais. O vestuário firma seu papel de máquina criadora de imagens populares e comerciais. Desse modo, a publicidade explora a seqüência de imagens criativas que a moda tem em seu meio formal particular e histórico.

Em sua conclusão, a publicidade de moda tenta acalmar o temor dominante da auto-revelação do inconsciente. Lisonjeia os leitores, passa autoconfiança – como o anúncio do refrigerante Pepsi-Cola, que mostra a influência a que está exposta a consciência do homem contemporâneo –, nada condizente com a natureza individual. A publicidade de 1960 destaca o refrigerante com um poder de "sociabilidade". Os símbolos são produzidos espontaneamente pelo inconsciente (apesar de poderem, posteriormente, ser elaborados conscientemente). As marcas de produtos, como as de refrigerantes, grifes, e serviços (companhias aéreas, por exemplo), não são símbolos, mas sinais conscientemente planejados.

Filmes e slogans provocam ressonâncias estéticas, emocionais e existenciais, que Lipovetsky explica como uma espiral do imaginário, que corresponde ao perfil da individualidade pós-moderna.

Pode-se incluir outro exemplo, agora diretamente ligado ao jeans: no anúncio da calça USTOP, na década de 80, a imagem era de um grupo de jovens, de ambos os sexos, vestindo jeans, numa antiga estação ferroviária, aguardando o trem. Eles entram num vagão, felizes, cantando o que era seu próprio slogan: "Liberdade é uma calça velha, azul e desbotada".

Na moda, o conceito de totalidade envolve a comunicação e a comercialização. É claro que existe uma grande intimidade entre o jeans e o espírito da sociedade contemporânea. Nas campanhas de publicidade, tudo o que tem a intenção de parecer jovem, tem o jeans como elemento de destaque, como as de refrigerantes, de cigarro, carros e, agora, com o jovem no mercado de trabalho, incluem-se, também, as de seguros e bancos.

A campanha da Calvin Klein, por exemplo, quando lançou o jeans de sua marca nos anos 80, colocou imenso outdoor na Times Square, em Nova York, em que aparecia a jovem Brooke Shields vestindo a calça e dizendo: "Entre eu e o jeans não existe mais nada".

Os anúncios de cigarro são outros exemplos que identificam o público consumidor com os sonhos que o produto pode oferecer. Entre outros slogans, destacam-se "o sabor da liberdade" (Marlboro), "a gente tem alguma coisa em comum" (Free), e "um raro prazer" (Carlton).

O jeans está presente na televisão, no teatro e no cinema. De acordo com cada personagem, ele se representa através de uma marca que entra no código da linguagem da moda como signo. Mimetismo mecânico e códigos grupais.

Na publicidade da marca de cigarros, "o sabor da liberdade"

BIBLIOGRAFIA

ALCÂNTARA, Mamede de. *Terapia pela Roupa*. São Paulo: Editora Mandarim, 1996.

BARTHES, Roland. *Sistema da Moda*. 5ª edição. São Paulo: Companhia Editora Nacional, 1979.

BARREIRO, Ana Martinez. *La Moda em lãs Sociedades Modernas*. Madrid: Editora Tecnos, 1998.

BATCHELOR, David. *Minimalismo*. São Paulo: Editora Cosac & Naify, 1999.

BRAGA, Humberto & BOECHAT, Walter & ULSON, Glauco & CARDOSO, Heloísa & BOECHAT, Paula Pantoja & SALLES, Carlos Alberto Corrêa. *Mitos e Arquétipos do Homem Contemporâneo*. 2ª edição. Rio de Janeiro: Editora Vozes.

CALDAS, Dario. *Universo da Moda*. São Paulo: Editora Anhembi Morumbi, 1999.

DONDIS, Donis A. *Sintaxe da Linguagem Visual*. 2ª edição. São Paulo: Livraria Martins Fontes, 1999.

DORFLES, Gillo. *A Moda da Moda*. Lisboa: Edições 70, 1984.

DOWNEY Lynn, LYNCH Gill Noack, MCDONOUGH. *This is a Pair of Levi's Jeans*. São Francisco. Califórnia: Levi Strauss & Co.Publishing, 1995.

ECO, Umberto & SIGURTÁ, Renato & LIVOLSI, Marino & ALBERONI, Francesco & DORFLES, Gillo & LOMAZZI Giorgio. *Psicologia do Vestir*. 2ª edição. Lisboa: Assírio e Alvim, 1982.

EMBACHER, Airton. *Moda e Identidade*. 1ª edição. São Paulo: Editora Anhembi Morumbi, 1999.

Haye, Amy e Dingwall, Cathie. *Sufers Soulies Skninheads & Skaters. Subcultural Style From The Forties To The Nineties.* London: V&A Publications, 1997.

Hollander, Anne. *O Sexo e as Roupas.* 1ª edição. Rio de Janeiro: Editora Rocco, 1996.

Jung, C. G. *O Espírito na Arte e na Ciência.* v. 15. Rio de Janeiro: Editora Vozes, 1970.

Jung, Carl Gustav. *O Homem e seus Símbolos.* 6ª edição. Rio de Janeiro: Nova Fronteira, 1987.

Laver, James. *A Roupa e a Moda.* 1ª edição. São Paulo: Companhia das Letras, 1989.

Lipovetsky, Gilles. *O Império do Efêmero.* São Paulo: Companhia das Letras, 1989.

Lurie, Alison. *A linguagem das Roupas.* 1ª edição. Rio de Janeiro: Editora Rocco, 1992.

Mafesolli, Michell. *O Tempo das Tribos.* O Declínio do Individualismo nas Sociedades de Massa. 1ª edição. Rio de Janeiro: Editora Forense-Universitária, 1987.

Mulvey, Kate & Richards, Mélissa. *Feminin, L'image de la Femme 1890/1990.* 1ª edição. Paris: Celiv, 1998.

Parra Filho, Domingos & Santos, João Almeida. *Apresentação de Trabalhos Centíficos: Monografia, TCC, Teses e Dissertações.* 3ª edição. São Paulo: Futura, 2000.

SENAI. CETIQT. *Denin; História, Moda e Tecnologia.* Série tecnologia Têxtil. SENAI/DN/CNP/q/IBICT, PADCT, TIB: Rio de Janeiro, 1994.

Silveira, Nise. *Jung. Vida e Obra.* São Paulo: Editora Paz e Terra, 1996.

STEELE, Valerie. *Fetiche. Moda, Sexo e Poder*. Editora Rocco: Rio de Janeiro, 1996.

VICENT-RICARD, Françoise. *As Espirais da Moda*, Rio de Janeiro: Editora Paz e Terra, 1987.

WILLIAN, Richard. *I Ching, O Livro das Mutações*. 14ª edição. São Paulo: Editora Pensamento, 1995.

DICIONÁRIOS E ENCICLOPÉDIAS

JULIEN, Nadia. *Dicionário dos Símbolos*. São Paulo: Editora Rideel Ltda, 1993.

Dicionário Melhoramentos da Língua. São Paulo: Editora Melhoramentos, 1967.

Terminologia do Vestuário. São Paulo: Editora Senai, 1996.

Dicionário e Sociologia. Porto Alegre: Editora Globo, 1970.

O'HARA, Georgina. *Enciclopédia da Moda*. São Paulo: Editora Schwarcz Ltda, 1992.

Enciclopédia Abril. São Paulo: Editora Abril, 1973.

INTERNET

GOIA, Jorge. *Em 68, A Imaginação tomou o Poder*. Texto número 7 da revista Tesão, edição de março, especial: maio 1968. http://www.geocities.com - nov. 2000.

LEMOS, André. *Ciber Sociedade, Tecnologia e Vida social na Cultura contemporânea*. http://www.ucs.tche.br/carla/EAD/homepsico/andre.html - nov. 2000

AI-5 - Gorender, Jacob. www.fpabramo.org.br/AI-5/ler.htm

Berlim: www.socio-estatistica.com.br/berlim.htm
Budismo: http://w3.openlink.com.br/fmagno/princlin.htm

Camus, Albert: http://editoras.com/record/04679.htm

Cinema:http://www.a-pagina-da-educação.pt/arquivo/u0915.html

Dicionário: http://www.uol.com.br/bibliot/dicionar/

Filosofia: www.copodemar.com.br/existen.htm

Levi's: http://www.levistrauss.com

Milênio: http://www.epoca.com.br/especiais/milenio/ver.htm

Moda: http://www.coatscorrente.com.br

http://www.marcosabino.com

http://www.modabrasil.com.br

Música: http://www.housemusic.com.br

http://www.planetarei.com.br

http://www.somlivre.com.br

http://www.gilbertogil.com.br

Tarô: http://www.marco-a.com/r-maura/lpagtaro.htm

Tropicália: http://www.joao.barile.com.br/tropi.html

Anexo

O JEANS também se mostrou presente nas músicas a partir dos anos 60, no Brasil, destacando a atitude jovem da época: irreverente, romântica e revoltada.

A estética da jovem dos anos 60 – que hoje seria a "patricinha" –, está na letra da música *Garota Moderna*.

GAROTA MODERNA

Jair Amorim e Evaldo Gouveia

Tão bonita que ela é,
cabelos lisos como eu nunca vi,
camisa esporte sobre a *calça Lee*,
um ar esnobe de quem nada quer.
Lá vai ela e pensa que é mulher.

Cigarrinho aceso em sua mão,
toca moderninho um violão,
diz que o amor é coisa que não quer.
Lá vai ela e pensa que é mulher.

* * *

Uma das músicas dos anos 60, que teve muito sucesso, cantava as atitudes dos jovens, tristes pela guerra, e mostrava o comportamento de tocar guitarra, ter cabelos longos, ser livre.

ERA UM GAROTO, QUE COMO EU AMAVA OS BEATLES E OS ROLLING STONES

Luzini e F. Migliacci, versão de Brancato Júnior

Era um garoto, que como eu amava os Beatles e Rolling Stones.
Girava o mundo sempre a cantar as coisas lindas da América.
Não era belo mais mesmo assim havia mil garotas afim.
Cantava "Help" and "Ticket to Ride", oh "Lady Jane" and "Yesterday".
Cantava viva à liberdade, mas uma carta sem esperar
Da sua guitarra o separou, fora um chamado da América.
Stop com Rolling Stones, Stop com Beatles songs.
Chamado foi ao Vietnã, lutar com vietcongs.
Tatá-ratatá, tatá-ratatá, tatá-ratatá, tatá-ratatá.
Tatá-ratatá, tatá-ratatá, tatá-ratatá, tatá-ratatá.
Era um garoto, que como eu amava os Beatles e Rolling Stones.
Girava o mundo, mas acabou fazendo a guerra do Vietnã.
Cabelos longos não usa mais, nem toca a sua guitarra e sim
Um instrumento que sempre dá a mesma nota ratatatá.

Não tem amigos, nem mais garotas, só gente morta caída ao chão.
Ao seu país não voltará pois está morto no Vietnã...
Stop com Rolling Stones, Stop com Beatles songs.
No peito um coração não há, mas duas medalhas sim.
Tatá-ratatá, tatá-ratatá, tatá-ratatá, tatá-ratatá.
Tatá-ratatá, tatá-ratatá, tatá-ratatá, tatá-ratatá.
Ratatatá-tátá. Ratatatá-tátá. Ratatatá-tátá.

* * *

A música seguinte foi apresentada no *Festival da Canção*, em São Paulo, em 1968. Causou impacto, classificada em segundo lugar. A música teve grande êxito, tornando-se uma espécie de hino estudantil, mas teve seu curso interrompido pela censura.

PRÁ NÃO DIZER QUE EU NÃO FALEI DE FLORES OU CAMINHANDO

Geraldo Vandré (1968)

Caminhando e cantando e seguindo a canção.
Somos todos iguais, braços dados ou não.
Nas escolas, nas ruas, campos, construções,
Caminhando e cantando e seguindo a canção.
Vem, vamos embora que esperar não é saber.
Quem sabe faz a hora não espera acontecer.

Pelos campos a fome em grandes plantações.
Pelas ruas marchando indecisos cordões,
Ainda fazem da flor seu mais forte refrão,
E acreditam nas flores vencendo canhão.

Há soldados armados, amados ou não,
Quase todos perdidos de armas na mão.
Nos quartéis lhes ensinam uma antiga lição,
De morrer pela pátria e viver sem razão.

Nas escolas, nas ruas, campos, construções,
Somos todos soldados, armados ou não.
Caminhando e cantando e seguindo a canção,
Somos todos iguais, braços dados ou não.

Os amores na mente, as flores no chão,
A certeza na frente, a história na mão.
Caminhando e cantando e seguindo a canção,
Aprendendo e ensinando uma nova lição.

* * *

O romantismo faz parte dos jovens e Roberto Carlos mostrou a estética do apaixonado.

DETALHES

Roberto e Erasmo Carlos (1971)

Não adianta nem tentar me esquecer.
Durante muito tempo em sua vida,
eu vou viver.
Detalhes tão pequenos de nós dois,
são coisas muito grandes pra esquecer.
E a toda hora vão estar presentes,
você vai ver.
Se um outro cabeludo aparecer, na sua rua,
e isto lhe trouxer saudades minhas,

a culpa é sua.
O ronco barulhento do seu carro,
a velha calça desbotada ou coisa assim,
imediatamente você vai lembrar de mim.
Eu sei que um outro deve estar falando ao seu ouvido,
palavras de amor como eu falei, mas eu duvido,
duvido que ele tenha tanto amor,
e os erros do meu português ruim.
E nessa hora você vai lembrar de mim.
A noite envolvida no silêncio do seu quarto.
Antes de dormir você procura o meu retrato.
Mas na moldura não sou eu quem lhe sorri,
mas você vê o meu sorriso mesmo assim.
E tudo isso vai fazer você lembrar de mim.
Se alguém tocar seu corpo como eu, não diga nada.
Não vá dizer meu nome sem querer à pessoa errada.
Pensando ter amor nesse momento,
desesperada você tenta até o fim.
E até nesse momento você vai lembrar de mim.
Eu sei que esses detalhes vão sumir na longa estrada
do tempo que transforma todo amor em quase nada.
Mas quase também é mais um detalhe.
Um grande amor não vai morrer assim.
Por isso, de vez em quando você vai lembrar de mim.
Não adianta nem tentar me esquecer.
Durante muito e muito tempo em sua vida eu vou viver.

AMANTE À MODA ANTIGA

Roberto e Erasmos Carlos (1980)

Eu sou aquele amante à moda antiga,
do tipo que ainda manda flores.

Aquele que no peito ainda abriga,
recordações de seus grandes amores.
Eu sou aquele amante apaixonado,
que curte a fantasia dos romances
E fica olhando o céu de madrugada,
sonhando abraçado à namorada.
Eu sou do tipo de certas coisas
que já não são comuns nos nossos dias,
as cartas de amor, o beijo na mão,
muitas manchas de batom, daquele amasso no portão.
Apesar de todo progresso, conceitos e padrões atuais,
Sou do tipo que na verdade
sofre por amor e ainda chora de saudades.
Porque sou aquele amante à moda antiga,
do tipo que ainda manda flores.
Apesar do velho tênis e da *calça desbotada*
ainda chamo de querida a namorada.

* * *

Uma poesia com jogo de palavras que se refere ao índigo e ao jovem.

ÍNDIGO BLUE

Gilberto Gil (1984)

Índigo blue, índigo blue,
índigo blusão.
Índigo blue, índigo blue,
índigo blusão.

Sob o blusão, sob a blusa,
nas encostas lisas do monte do peito.
Dedos alegres e afoitos
se apressam em busca do bico do peito.
De onde os efeitos gozosos,
das ondas de prazer se propagarão.
Por toda essa terra amiga,
desde a serra da barriga
às grutas do coração.

Índigo blue, índigo blue,
índigo blusão.
Índigo blue, índigo blue,
índigo blusão.

Sob o blusão e a camisa,
os músculos másculos dizem respeito
a quem por direito carrega
essa Terra nos ombros com todo o respeito
e a deposita a cada dia
num leito de nuvens suspenso no céu,
tornando-se seu abrigo,
seu guardião, seu amigo,
seu amante fiel.

Impressão e acabamento
Gráfica e Editora Santuário
Em Sistema CTcP
Rua Pe. Claro Monteiro, 342
Fone 012 3104-2000 / Fax 012 3104-2036
12570-000 Aparecida-SP